KB087183

#홈스쿨링
#초등 영어 기초력

요즘은 혼공시대!
사교육 없이도 영어 기초력을 탄탄하게 쌓아 올리는 법,
똑똑한 하루 VOCA가 정답입니다.
똑똑한 엄마들이 선택하는 똑똑한 교재!
엄마들의 영어 고민을 덜어 줄 어휘 교재로 강추합니다.

영어책 만드는 엄마_ 이지은

영어는 스스로 재미를 느끼며 공부해야 실력이 늘어요.
똑똑한 하루 VOCA는 자기주도학습을 매일 실천할 수 있도록
설계되어 있어, 따라 하기만 해도 공부 습관을 키울 수 있어요.
재미있는 만화와 이미지 연상을 통해 영어 단어를 오래
기억하며 알차게 공부할 수 있어요.

미쉘 Michelle TV_ 김민주

똑똑한 하루 VOCA
시리즈 구성 (Level 1~4)

Level 1 A, B
3학년 과정

Level 2 A, B
4학년 과정

Level 3 A, B
5학년 과정

Level 4 A, B
6학년 과정

똑똑한 하루 VOCA만의

똑똑한 부가 자료

책 속 부록

머휘 리스트

VOCA
단어 카드

온라인 자료

QR앱

▷ 링크 없이 음원이 바로 재생되는 편리한 QR앱을 무료로 다운 받으세요.

추가 활동지

▷ 단어 테스트지 외 다양한 추가 활동지를 book.chunjae.co.kr 에서 다운 받으세요.

4주 완성 스케줄표

2B

★ 공부한 날짜를 써 봐!

1주

1일 8~17쪽	2일 18~23쪽	3일 24~29쪽	4일 30~35쪽	5일 36~41쪽
단어 외모 묘사	단어 자연	단어 동물	단어 동작	단어 운동
월 일	월 일	월 일	월 일	월 일

특강
42~49쪽
월 일

힘을 내! 넌 최고야!

2주

5일 78~83쪽	4일 72~77쪽	3일 66~71쪽	2일 60~65쪽	1일 50~59쪽
단어 요일	단어 사물·숫자	단어 사물	단어 신체	단어 색깔
월 일	월 일	월 일	월 일	월 일

특강
84~91쪽
월 일

계획대로만 하면 금방 끝날 거야!

배운 단어는 꼭꼭 복습하기!

3주

1일 92~101쪽	2일 102~107쪽	3일 108~113쪽	4일 114~119쪽	5일 120~125쪽
단어 의복	단어 악기	단어 직업	단어 동작	어구 동작
월 일	월 일	월 일	월 일	월 일

특강
126~133쪽
월 일

마지막 4주 공부 중. 감동이야!

4주

특강	5일 162~167쪽	4일 156~161쪽	3일 150~155쪽	2일 144~149쪽	1일 134~143쪽
168~175쪽	쓰기 하고 있는 일 묻기	쓰기 가격 묻기	쓰기 시각 묻기	쓰기 위치 묻기	쓰기 소유 묻기
월 일	월 일	월 일	월 일	월 일	월 일

똑똑한 하루 VOCA 2B

똑똑한 QR앱 사용법

방법 1

QR 음원 편리하게 듣기

1. 앱 실행하기
2. 교재의 QR 코드 찍기

링크 없이 음원이 자동 재생!

앱을 다운 받으세요.

방법 2

모든 음원 바로 듣기

1. 앱 우측 하단의 ➕ 버튼 클릭
2. 해당 Level → 주 → 일 클릭!

원하는 음원 찾아 듣기와 찬트 모아 듣기 가능!

편하고 똑똑하게!

Chunjae
Makes
Chunjae

▼

편집개발	김윤미, 하유미, 한새미, 박영미
디자인총괄	김희정
표지디자인	윤순미, 박민정
내지디자인	박희춘, 이혜미
삽화	김수옥, 오연주, 김동윤, 이인아
제작	황성진, 조규영

발행일	2020년 12월 1일 초판 2020년 12월 1일 1쇄
발행인	(주)천재교육
주소	서울시 금천구 가산로9길 54
신고번호	제2001-000018호
고객센터	1577-0902
교재 내용문의	(02)3282-8885

똑똑한 하루 VOCA

4학년 영어

2 B

구성과 활용 방법

한 주 미리보기

미리보기 만화

미리보기 활동

단어 1~3주

재미있는 만화를 읽으며
오늘 배울 단어의 의미를 추측해요.

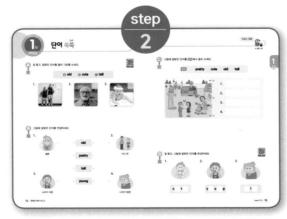

듣기부터 쓰기까지 다양한 문제를 풀어 보며
단어를 익혀요.

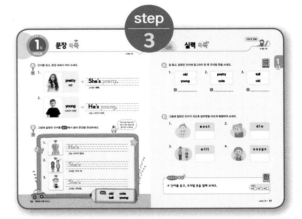

• 의미를 생각하며 문장 속에서 단어를 익혀요.
• 오늘 배운 단어를 복습하며 확인해요.

step 1

재미있는 만화를 읽으며
오늘 배울 표현의 의미를 추측해요.

쓰기
4주

step 2

단어와 표현의 의미를 생각하며 문장을 써요.

step 3

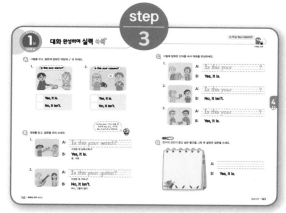

• 배운 표현의 의미를 생각하며 대화를 완성해요.
• 스스로 생각해서 문장을 써요.

Brain Game Zone

한 주 동안 배운 내용을 창의·사고력 게임으로
재미는 두 배, 사고력은 UP!

말판 놀이

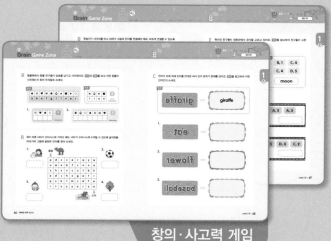

창의·사고력 게임

공부할 내용

3주
단어

4주
쓰기

알파벳 이름과 소리

🖤 알파벳의 이름과 소리를 알아보세요.

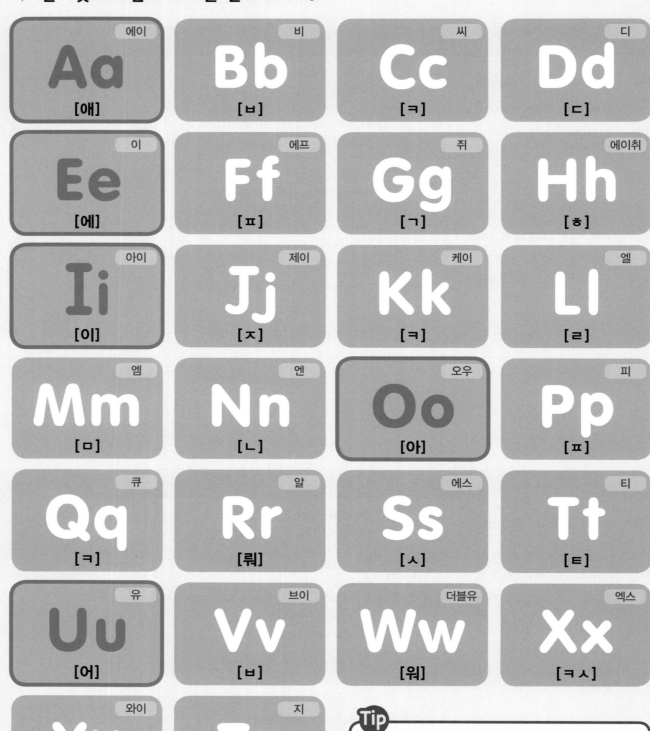

에이 **Aa** [애]	비 **Bb** [ㅂ]	씨 **Cc** [ㅋ]	디 **Dd** [ㄷ]
이 **Ee** [에]	에프 **Ff** [ㅍ]	쥐 **Gg** [ㄱ]	에이취 **Hh** [ㅎ]
아이 **Ii** [이]	제이 **Jj** [ㅈ]	케이 **Kk** [ㅋ]	엘 **Ll** [ㄹ]
엠 **Mm** [ㅁ]	엔 **Nn** [ㄴ]	오우 **Oo** [아]	피 **Pp** [ㅍ]
큐 **Qq** [ㅋ]	알 **Rr** [뤄]	에스 **Ss** [ㅅ]	티 **Tt** [ㅌ]
유 **Uu** [어]	브이 **Vv** [ㅂ]	더블유 **Ww** [워]	엑스 **Xx** [ㅋㅅ]
와이 **Yy** [이여]	지 **Zz** [ㅈ]		

Tip
알파벳은 모음 5개, 자음 21개로 이루어져 있어.
한글에는 없는 발음도 있으니 유의해야 해.

함께 공부할 친구들

토냥이랑
제일 친한 애

고양이가
되고 싶어 하는 토끼

삐
좋아하는 것: 토냥이 따라다니기
싫어하는 것: 토냥이랑 떨어지는 것
잘하는 것: 삐! 삐! 노래 부르기

무슨 일이든 해결하는
척척박사

토냥이
좋아하는 것: 생선, 당근
싫어하는 것: 쥐
잘하는 것: 당근 패드로 정보 검색하기

실수투성이지만
마음 따뜻한 친구

민아
나이: 11살
좋아하는 것: 귀여운 물건 모으기
싫어하는 것: 약속 안 지키는 것

개구쟁이
혁이 남동생

혁
나이: 11살
좋아하는 것: 스케이트보드 타기
싫어하는 것: 귀신의 집

준
나이: 7살
좋아하는 것: 형, 누나 따라다니기
싫어하는 것: 혼자 놀기

이번 주에는 무엇을 공부할까? ❶

🌱 재미있는 이야기로 이번 주에 공부할 내용을 알아보세요.

1주차 공부할 내용

이번 주에는 무엇을 공부할까? ❷

Ⓐ

◉ 여러분이 가장 좋아하는 동물에 ✓ 표 해 보세요.

monkey

giraffe

lion

elephant

bear

B

농구, 야구, 축구 각 팀의 선수를 모두 합하면 몇 명인지 맞혀 봐.

5+9+11이니까 25명. 맞지?

뭐야, 답을 모르는 거였어?

◉ 여러분이 친구들과 함께 하고 싶은 운동에 동그라미 해 보세요.

baseball

tennis

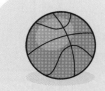

basketball

badminton

soccer

그는 키가 커

단어

He's Tall

💜 **재미있는 이야기로 오늘 배울 단어를 만나 보세요.**

1주

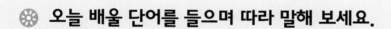

❄️ 오늘 배울 단어를 들으며 따라 말해 보세요.

pretty
예쁜

cute
귀여운

tall
키가 큰

old
나이가 많은

young
나이가 어린

찬트 해 보세요.

단어 쑥쑥

A 잘 듣고, 알맞은 단어를 골라 기호를 쓰세요.

단어
듣기

ⓐ **old**　ⓑ **cute**　ⓒ **tall**

1.

2.

3.

B 그림에 알맞은 단어를 연결하세요.

의미
연결

1.

예쁜

old

pretty

tall

young

2.

키가 큰

3.

나이가 어린

4.

나이가 많은

C 그림에 알맞은 단어를 보기 에서 골라 쓰세요.

단어
쓰기

보기 pretty cute old tall

1.

2.

3.

4.

D 잘 듣고, 그림에 알맞은 단어를 완성하세요.

단어
완성

1.

c t ☐

2.

y u g

3.

☐ l ☐

문장 쑥쑥

▶정답 1쪽

 A 단어를 읽고, 문장 속에서 따라 쓰세요.

문장
완성

1.

pretty
예쁜

→ **She's** pretty.

그녀는 예뻐.

2.

young
나이가 어린

→ **He's** young.

그는 나이가 어려.

B 그림에 알맞은 단어를 보기 에서 골라 문장을 완성하세요.

문장
쓰기

He is와 She is는
He's 또는 She's로
줄여 쓸 수 있어요.

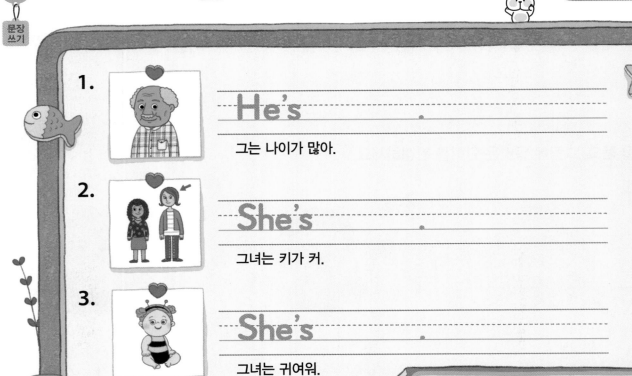

1.

He's _____ .

그는 나이가 많아.

2.

She's _____ .

그녀는 키가 커.

3.

She's _____ .

그녀는 귀여워.

보기 old   cute
tall   young

복습

실력 쑥쑥

1
주

A 잘 듣고, 알맞은 단어에 동그라미 한 후 우리말 뜻을 쓰세요.

1.
old
young

뜻 _____

2.
pretty
cute

뜻 _____

3.
tall
old

뜻 _____

B 그림에 알맞은 단어가 되도록 알파벳을 바르게 배열하여 쓰세요.

1.

e u c t

2.

d l o

3.

a l l t

4.

u o y g n

차곡차곡 복습!

◉ 단어를 듣고, 우리말 뜻을 말해 보세요.

도전!
1회 ☐ 2회 ☐ 3회 ☐

저 꽃을 봐
Look at the Flower

단어

💜 재미있는 이야기로 오늘 배울 단어를 만나 보세요.

1
주

오늘 배울 단어를 들으며 따라 말해 보세요.

sun
태양

moon
달

star
별

tree
나무

flower
꽃

찬트 해 보세요.

단어 쑥쑥

 A 잘 듣고, 알맞은 단어에 동그라미 하세요.

1.

| tree | flower |

2.

| sun | moon |

3.

| star | tree |

 B 그림에 알맞은 단어와 우리말 뜻을 연결하세요.

1.

flower · · 태양

2.

tree · · 나무

3.

sun · · 꽃

C 그림에 알맞은 단어를 찾아 동그라미 한 후 빈칸에 쓰세요.

단어
쓰기

moontucuflowerjzystardued

1.

2.

3.

D 그림을 보고, 퍼즐을 완성하세요.

단어
완성

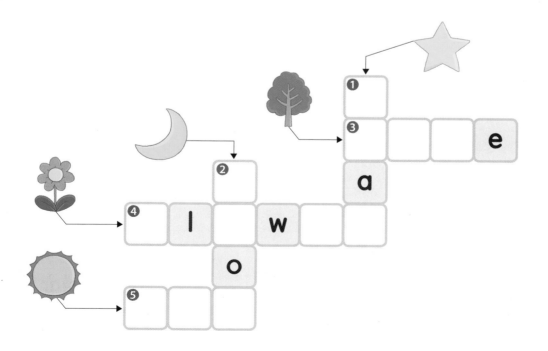

문장 쑥쑥

▶정답 2쪽

A 단어를 읽고, 문장 속에서 따라 쓰세요.

문장
완성

1.
flower
꽃
→ **Look at the** flower.
저 꽃을 봐.

2.
sun
태양
→ **Look at the** sun.
저 태양을 봐.

'Look at the +
사물 이름.'은 무엇을 보라고
지시하는 표현이에요.

B 그림에 알맞은 단어를 보기 에서 골라 문장을 완성하세요.

문장
쓰기

1. Look at the   .
저 나무를 봐.

2. Look at the   .
저 별을 봐.

3. Look at the   .
저 달을 봐.

보기 sun   star
      tree   moon

실력 쑥쑥

▶정답 2쪽

1
주

A 잘 듣고, 알맞은 단어에 동그라미 한 후 우리말 뜻을 쓰세요.

1.
| sun |
| star |

뜻 _____

2.
| moon |
| tree |

뜻 _____

3.
| flower |
| sun |

뜻 _____

B 그림에 알맞은 단어가 되도록 알파벳을 바르게 배열하여 쓰세요.

1.

e t e r

2.

o m o n

3.

t s r a

4.

l o f e w r

차곡차곡 복습!

◉ 단어를 듣고, 우리말 뜻을 말해 보세요.

도전!
| 1회 | 2회 | 3회 |

저것은 원숭이야

That Is a Monkey

단어

💜 **재미있는 이야기로 오늘 배울 단어를 만나 보세요.**

1
주

☀ 오늘 배울 단어를 들으며 따라 말해 보세요.

bear
곰

monkey
원숭이

giraffe
기린

lion
사자

elephant
코끼리

♪ 찬트 해 보세요.

단어 쑥쑥

A 잘 듣고, 알맞은 단어를 골라 기호를 쓰세요.

단어
듣기

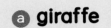

ⓐ giraffe　　ⓑ elephant　　ⓒ lion

1.

2.

3.

B 그림에 알맞은 단어를 연결하세요.

의미
연결

1.

원숭이

2.

곰

lion

bear

monkey

elephant

3.

코끼리

4.

사자

C 그림에 알맞은 단어를 보기 에서 골라 쓰세요.

보기　**giraffe　lion　elephant　bear**

1.

2.

3.

4.

D 잘 듣고, 그림에 알맞은 단어를 완성하세요.

1.

b ☐ a ☐

2.

g i r ☐ f ☐ e

3.

m ☐ n k ☐ y

문장 쑥쑥

▶정답 3쪽

A 단어를 읽고, 문장 속에서 따라 쓰세요.

1.

bear
곰

→ **That is a** bear**.**

저것은 곰이야.

2.

monkey
원숭이

→ **That is a** monkey**.**

저것은 원숭이야.

B 그림에 알맞은 단어를 보기 에서 골라 문장을 완성하세요.

> 멀리 있는 동물의 이름을 말할 때는 'That is a/an+동물 이름.'이라고 해요.

1.

That is a _____.

저것은 사자야.

2.

That is a _____.

저것은 기린이야.

3.

That is an _____.

저것은 코끼리야.

> 보기
> monkey   lion
> elephant   giraffe

A 잘 듣고, 알맞은 단어에 동그라미 한 후 우리말 뜻을 쓰세요.

1.
| giraffe |
| monkey |

뜻 _____

2.
| lion |
| elephant |

뜻 _____

3.
| monkey |
| bear |

뜻 _____

B 그림에 알맞은 단어가 되도록 알파벳을 바르게 배열하여 쓰세요.

1.

y k o m n e

2.

f g f e i a r

3.

t h e a e p l n

4.

e b r a

차곡차곡 복습!

● 단어를 듣고, 우리말 뜻을 말해 보세요.

도전!
1회 ☐ 2회 ☐ 3회 ☐

뛰지 마세요

단어

Don't Run, Please

💜 **재미있는 이야기로 오늘 배울 단어를 만나 보세요.**

으으으~! 무서워. 난 귀신이 제일 싫어.

형아, 뭐가 무서워. 내가 지켜줄게.

토냥아, 넌 그만 **eat**해. 들어가야지.

알았어.

뭐가 무섭다고 그러는 거야. 그만 좀 **push**해. 넘어지겠다.

쉿! **talk**하지 마. 귀신한테 우리 위치를 들키잖아.

내가 지난번에 귀신을 만났는데….

점점 재밌어지는데.

귀신의 집에 오신 것을 환영합니다~

영어로 뭐라고 쓰인 거야? **enter**가 뭐지?

Do Not Enter

들어오지 말라는 말이야.

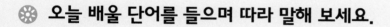

오늘 배울 단어를 들으며 따라 말해 보세요.

run
달리다, 뛰다

eat
먹다

talk
이야기하다

push
밀다

enter
들어가다

찬트 해 보세요.

4일 VOCA

똑똑한 하루

단어 쑥쑥

A 잘 듣고, 알맞은 단어에 동그라미 하세요.

1.

2.

3.

| eat | push | talk | run | enter | talk |

B 그림에 알맞은 단어와 우리말 뜻을 연결하세요.

1.

· enter · · 이야기하다

2.

· push · · 밀다

3.

· talk · · 들어가다

▶정답 4쪽

C 그림에 알맞은 단어를 찾아 동그라미 한 후 빈칸에 쓰세요.

단어
쓰기

t u c i e a t u p c u e r u n t q c v p u s h k g

1.

2.

3.

D 그림을 보고, 퍼즐을 완성하세요.

단어
완성

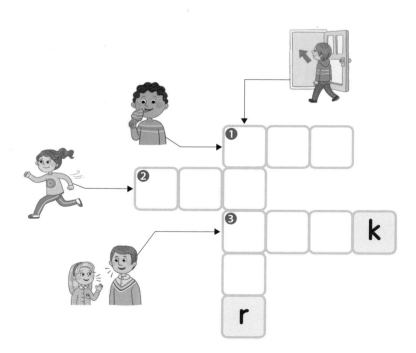

문장 쑥쑥

 A 단어를 읽고, 문장 속에서 따라 쓰세요.

문장
완성

1.

push
밀다

→ **Don't** push**, please.**

밀지 마세요.

2.

enter
들어가다

→ **Don't** enter**, please.**

들어가지 마세요.

'Don't+동작을 나타내는 말, please.'는 '~하지 마세요.'라는 뜻으로 금지하는 표현이에요.

B 그림에 알맞은 단어를 보기 에서 골라 문장을 완성하세요.

문장
쓰기

1.

Don't   , please.

뛰지 마세요.

2.

Don't   , please.

먹지 마세요.

3.

Don't   , please.

이야기하지 마세요.

보기 eat   run
     push talk

1
주

A 잘 듣고, 알맞은 단어에 동그라미 한 후 우리말 뜻을 쓰세요.

1.
enter
eat

뜻 _____

2.
talk
push

뜻 _____

3.
eat
run

뜻 _____

B 그림에 알맞은 단어가 되도록 알파벳을 바르게 배열하여 쓰세요.

1.

e t r n e

2.

n u r

3.

a k l t

4.

s u h p

차곡차곡 복습!

◉ **단어를 듣고, 우리말 뜻을 말해 보세요.**

도전!
1회 □ 2회 □ 3회 □

농구 하자

Let's Play Basketball

단어

💜 재미있는 이야기로 오늘 배울 단어를 만나 보세요.

☀ 오늘 배울 단어를 들으며 따라 말해 보세요.

soccer
축구

basketball
농구

baseball
야구

badminton
배드민턴

tennis
테니스

찬트 해 보세요.

단어 쑥쑥

A 잘 듣고, 알맞은 단어를 골라 기호를 쓰세요.

> **ⓐ baseball**   **ⓑ basketball**   **ⓒ soccer**

1.

2.

3.

B 그림에 알맞은 단어를 연결하세요.

1.

야구

2.

테니스

| tennis |
| soccer |
| baseball |
| badminton |

3.

축구

4.

배드민턴

C 그림에 알맞은 단어를 보기 에서 골라 쓰세요.

단어
쓰기

보기 **badminton**   **baseball**   **tennis**   **soccer**

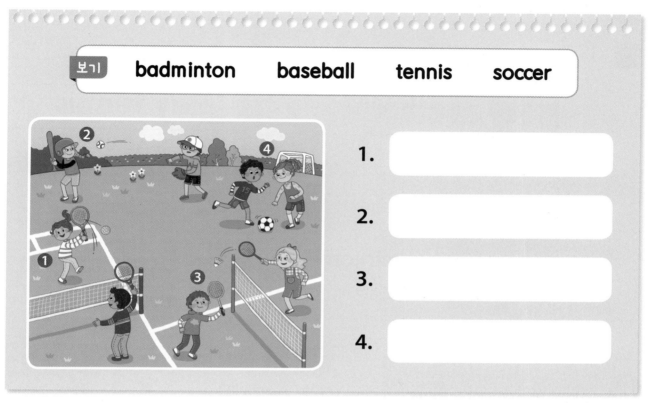

1.

2.

3.

4.

D 잘 듣고, 그림에 알맞은 단어를 완성하세요.

단어
완성

1.

s [ ] c [ ] er

2.

t [ ] n [ ] is

3.

b [ ] sk [ ] tb [ ] ll

A 단어를 읽고, 어구를 따라 쓰세요.

어구
쓰기

1.

tennis
테니스

→ play tennis

테니스를 치다

2.

badminton
배드민턴

→ play badminton

배드민턴을 치다

'Let's play+운동 이름.'은 어떤 운동을 함께 하자고 제안하는 표현이에요.

B 그림에 알맞은 단어를 보기 에서 골라 문장을 완성하세요.

문장
쓰기

1. Let's play _____.

농구 하자.

2. Let's play _____.

축구 하자.

3. Let's play _____.

야구 하자.

보기

baseball   tennis
basketball   soccer

실력 쑥쑥

A 잘 듣고, 알맞은 단어에 동그라미 한 후 우리말 뜻을 쓰세요.

5

1.
| soccer |
| tennis |

뜻 _____

2.
| badminton |
| basketball |

뜻 _____

3.
| tennis |
| baseball |

뜻 _____

B 그림에 알맞은 단어가 되도록 알파벳을 바르게 배열하여 쓰세요.

1.

e o c s c r

_____

2.

l b s e a b k t a l

_____

3.

e a b b l s a l

_____

4.

n t i n s e

_____

차곡차곡 복습!

6

◉ 단어를 듣고, 우리말 뜻을 말해 보세요.

| 도전! |
| 1회 ☐ 2회 ☐ 3회 ☐ |

1주 특강 Brain Game Zone

창의 · 융합 · 코딩

배운 내용을 떠올리며 말판 놀이를 해 보세요.

START

7. 단어를 읽고 알맞은 우리말 뜻에 ✓ 표 하세요.

tall

나이가 많은 ☐

키가 큰 ☐

6. 그림에 알맞은 단어를 완성하세요.

b__sk__tba__l

1. 그림을 보고 알맞은 단어에 동그라미 하세요.

cute

pretty

5. 그림을 보고 알파벳을 바르게 배열하여 단어를 쓰세요.

etnre

→ _____

2. 단어를 읽고 알맞은 그림에 동그라미 하세요.

run

4. 단어를 읽고 알맞은 우리말 뜻과 연결하세요.

moon · · 곰

bear · · 달

3. 그림과 단어가 일치하면 ○ 표, 일치하지 않으면 × 표 하세요.

badminton ☐

8. 그림을 보고 알맞은 단어에 동그라미 하세요.

giraffe

monkey

9. 단어를 읽고 알맞은 그림에 동그라미 하세요.

flower

10. 그림과 단어가 일치하면 ○ 표, 일치하지 않으면 × 표 하세요.

talk

11. 단어를 읽고 알맞은 우리말 뜻과 연결하세요.

tree ·   · 먹다

eat ·   · 나무

12. 단어를 읽고 알맞은 그림에 동그라미 하세요.

young

13. 그림에 알맞은 단어를 완성하세요.

__le__h__nt

14. 그림을 보고 알맞은 단어에 동그라미 하세요.

tennis

soccer

FINISH

A 동물원에서 동물 친구들이 암호를 남기고 사라졌어요. 단서 와 힌트 를 보고 어떤 동물이 사라졌는지 찾아 우리말로 쓰세요.

단서

힌트
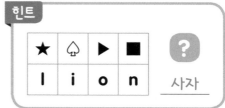

★	♤	▶	■	?
l	i	o	n	사자

1.
◎	♥	♠	◇	?
				___

2.
♣	♤	◇	♠	■	■	♥	?
							___

B 목이 마른 낙타가 오아시스로 가려고 해요. 낙타가 오아시스에 도착할 수 있도록 글자판을 따라가며 그림에 알맞은 단어를 찾아 쓰세요.

1.

출발

2.

p	d	c	c	e	r	q	y	w
u	w	o	b	f	c	n	s	e
s	h	s	v	c	u	t	b	k
a	d	j	h	s	g	e	t	r
q	s	k	l	m	c	d	f	e
r	t	x	s	y	o	r	z	e

3.

도착

4.

C 민아가 모래 위에 단어를 반대로 써서 단어 맞히기 문제를 냈어요. 힌트 를 참고하여 어떤 단어인지 쓰세요.

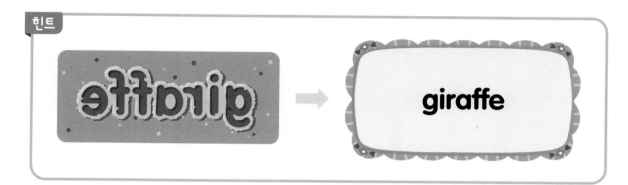

1.
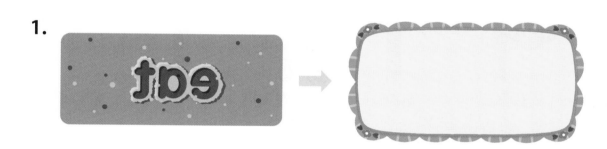

2.
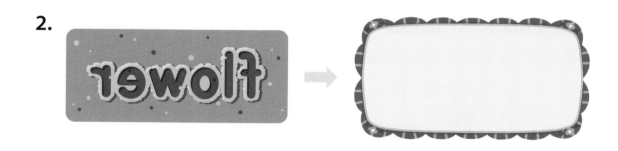

3.

D 원숭이가 사다리를 타고 내려가 그림과 단어를 연결해야 해요. 바르게 연결할 수 있도록 사다리에 가로선을 그어 보세요.

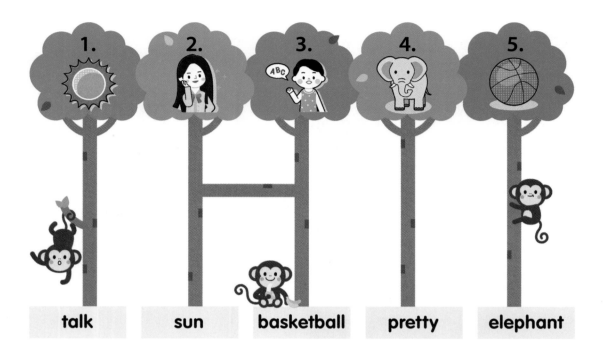

| talk | sun | basketball | pretty | elephant |

E 네잎클로버에 적힌 알파벳을 어떤 규칙에 따라 배열하면 단어가 만들어져요. 단서를 보고 규칙을 찾아 단어를 쓰세요.

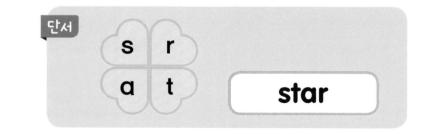

단서

s r
a t

star

1.
t l
l a

2.
b r
a e

F 혁이와 친구들이 영화관에서 좌석을 고르고 있어요. 힌트를 참고하여 친구들이 고른 자리에 있는 알파벳을 모아 단어를 쓰세요.

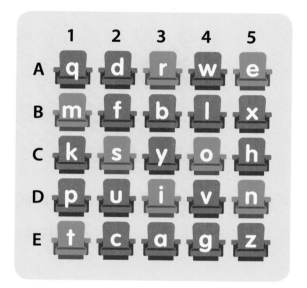

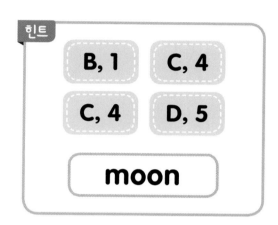

| | B, 1 | C, 4 |
| C, 4 | D, 5 |

moon

1.

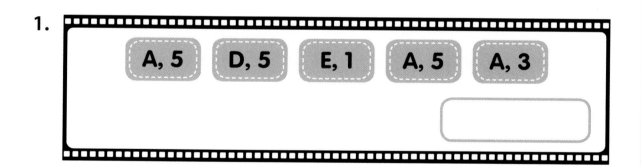

A, 5   D, 5   E, 1   A, 5   A, 3

2.

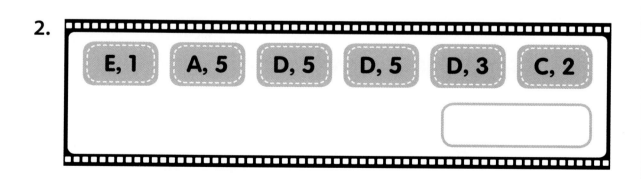

E, 1   A, 5   D, 5   D, 5   D, 3   C, 2

1 단어에 알맞은 그림을 고르세요.

bear

①   ②

③   ④

2 그림에 알맞은 단어를 고르세요.

① old ② pretty

③ cute ④ young

3 그림에 없는 단어를 고르세요.

① soccer ② basketball

③ tennis ④ baseball

4 그림과 단어가 일치하지 않는 것을 고르세요.

①   ②

run eat

③  ④

talk enter

5 그림에 알맞은 단어를 보기 에서 골라 기호를 쓰세요.

보기 ⓐ tall ⓑ pretty ⓒ cute

(1)

(2)

6 그림을 보고 문장의 빈칸에 알맞은 단어를 고르세요.

Look at the _____.

① moon   ② sun

③ tree   ④ star

7 그림에 알맞은 단어를 골라 쓰세요.

(tree / flower)

8 그림에 알맞은 단어가 되도록 알파벳을 바르게 배열하여 쓰세요.

(1)

(n a p e l h e t)

(2)

(f a e g r f i)

이번 주에는 무엇을 공부할까? ❶

💜 재미있는 이야기로 이번 주에 공부할 내용을 알아보세요.

A

◉ 여러분의 물건 중에서 가장 많은 색을 골라 동그라미 해 보세요.

B

◉ 다음 신체 부위의 개수를 모두 합하여 숫자로 써 보세요.

개수: ☐

답 ▶ 6 (여섯 개)

내 손목시계는 주황색이야

단어

My Watch Is Orange

💜 **재미있는 이야기로 오늘 배울 단어를 만나 보세요.**

☀ 오늘 배울 단어를 들으며 따라 말해 보세요.

white
흰색

pink
분홍색

orange
주황색

purple
보라색

brown
갈색

♫ 찬트 해 보세요.

단어 쑥쑥

3

A 잘 듣고, 알맞은 단어에 동그라미 하세요.

단어
듣기

1.

| pink | white |

2.

| purple | brown |

3.

| white | orange |

B 그림에 알맞은 단어와 우리말 뜻을 연결하세요.

의미
연결

1.

·   ·   purple   ·   ·   주황색

2.

·   ·   white   ·   ·   보라색

3.

·   ·   orange   ·   ·   흰색

C 그림에 알맞은 단어를 찾아 동그라미 한 후 빈칸에 쓰세요.

단어
쓰기

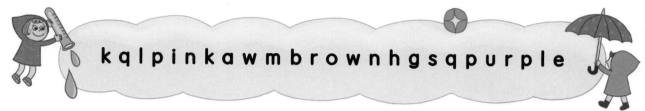

k q l p i n k a w m b r o w n h g s q p u r p l e

1.

2.

3.

D 그림을 보고, 퍼즐을 완성하세요.

단어
완성

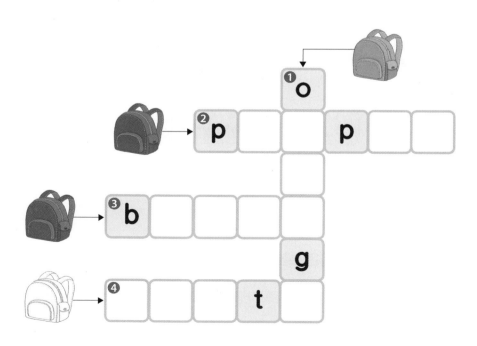

문장 쑥쑥

A 단어를 읽고, 문장 속에서 따라 쓰세요.

1.

orange
주황색

→ **My watch is** orange.

내 손목시계는 주황색이야.

2.

purple
보라색

→ **My umbrella is** purple.

내 우산은 보라색이야.

'My+물건 이름+is+색깔 이름.'은 자기 물건의 색깔을 말하는 표현이에요.

B 그림에 알맞은 단어를 보기 에서 골라 문장을 완성하세요.

1.

My bat is _____ .

내 야구 방망이는 흰색이야.

2.

My robot is _____ .

내 로봇은 갈색이야.

3.

My mirror is _____ .

내 거울은 분홍색이야.

보기 brown   pink
white   purple

실력 쑥쑥

2
주

A 잘 듣고, 알맞은 단어에 동그라미 한 후 우리말 뜻을 쓰세요.

1.

white
brown

뜻 ＿＿＿＿＿＿

2.

purple
pink

뜻 ＿＿＿＿＿＿

3.

brown
orange

뜻 ＿＿＿＿＿＿

B 그림에 알맞은 단어가 되도록 알파벳을 바르게 배열하여 쓰세요.

1.

e h w t i

2.

o n b w r

3.

p l u p e r

4.

k p n i

 차곡차곡 복습!

● 단어를 듣고, 우리말 뜻을 말해 보세요.

도전!
1회 ☐ 2회 ☐ 3회 ☐

💜 **재미있는 이야기로 오늘 배울 단어를 만나 보세요.**

2주

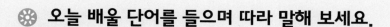

☀ 오늘 배울 단어를 들으며 따라 말해 보세요.

head
머리

arm
팔

hand
손

leg
다리

foot
발

● 찬트 해 보세요.

단어 쑥쑥

A 잘 듣고, 알맞은 단어를 골라 기호를 쓰세요.

단어
듣기

ⓐ foot   ⓑ arm   ⓒ head

1.

2.

3.

B 그림에 알맞은 단어를 연결하세요.

의미
연결

1.
머리

leg

arm

head

hand

2.
팔

3.
손

4.
다리

▶정답 9쪽

C 그림에 알맞은 단어를 보기 에서 골라 쓰세요.

단어
쓰기

보기　　**arm　　leg　　head　　foot**

1.
2.
3.
4.

2
주

D 잘 듣고, 그림에 알맞은 단어를 완성하세요.

단어
완성

1.

l ☐ g

2.

f o ☐ ☐

3.

☐ a ☐ d

문장 쑥쑥

▶정답 9쪽

A 단어를 읽고, 문장 속에서 따라 쓰세요.

문장
완성

1.

hand
손
→ **Touch your** hand.

네 손을 만져.

2.
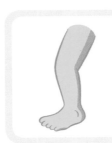
leg
다리
→ **Shake your** leg.

네 다리를 흔들어.

B 그림에 알맞은 단어를 보기 에서 골라 문장을 완성하세요.

무엇을 하라고 지시하는 말을 할 때는 그 동작을 나타내는 말로 문장을 시작해요.

문장
쓰기

1.

Touch your   .

네 발을 만져.

2.

Shake your   .

네 팔을 흔들어.

3.

Touch your   .

네 머리를 만져.

보기　hand　foot
　　　head　arm

A 잘 듣고, 알맞은 단어에 동그라미 한 후 우리말 뜻을 쓰세요.

1.
arm
foot

뜻 _____

2.
head
hand

뜻 _____

3.
leg
arm

뜻 _____

2
주

B 그림에 알맞은 단어가 되도록 알파벳을 바르게 배열하여 쓰세요.

1.

r a m

_____

2.

d a e h

_____

3.

o t o f

_____

4.

h n a d

_____

차곡차곡 복습!

◉ 단어를 듣고, 우리말 뜻을 말해 보세요.

도전!
1회 □ 2회 □ 3회 □

그 카메라는 얼마인가요?

How Much Is the Camera?

💜 **재미있는 이야기로 오늘 배울 단어를 만나 보세요.**

2주

🌻 오늘 배울 단어를 들으며 따라 말해 보세요.

camera
카메라

cap
모자

glove
글러브

skirt
치마

scarf
스카프, 목도리

찬트 해 보세요.

단어 쑥쑥

A 잘 듣고, 알맞은 단어에 동그라미 하세요.

1.

| skirt | cap |

2.

| scarf | camera |

3.

| glove | skirt |

B 그림에 알맞은 단어와 우리말 뜻을 연결하세요.

1.  · · skirt · · 목도리

2.  · · scarf · · 치마

3.  · · cap · · 모자

▶정답 10쪽

C 그림에 알맞은 단어를 찾아 동그라미 한 후 빈칸에 쓰세요.

단어
쓰기

lbscarfkpcamerapzsgloveiw

1.

2.

3.

D 그림을 보고, 퍼즐을 완성하세요.

단어
완성

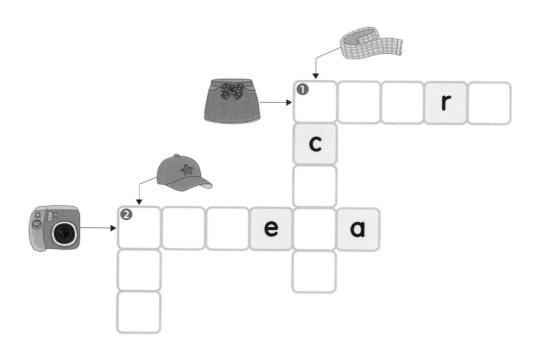

① [ ] [ ] [ ] r [ ]

c

② [ ] [ ] [ ] e [ ] a

문장 쑥쑥

▶정답 10쪽

A 단어를 읽고, 문장 속에서 따라 쓰세요.

문장 완성

1.

cap
모자

→ **How much is the cap?**

그 모자는 얼마인가요?

2.

scarf
목도리

→ **How much is the scarf?**

그 목도리는 얼마인가요?

'How much is the+물건 이름?'은 물건의 가격이 얼마인지 묻는 표현이에요.

B 그림에 알맞은 단어를 보기 에서 골라 문장을 완성하세요.

문장 쓰기

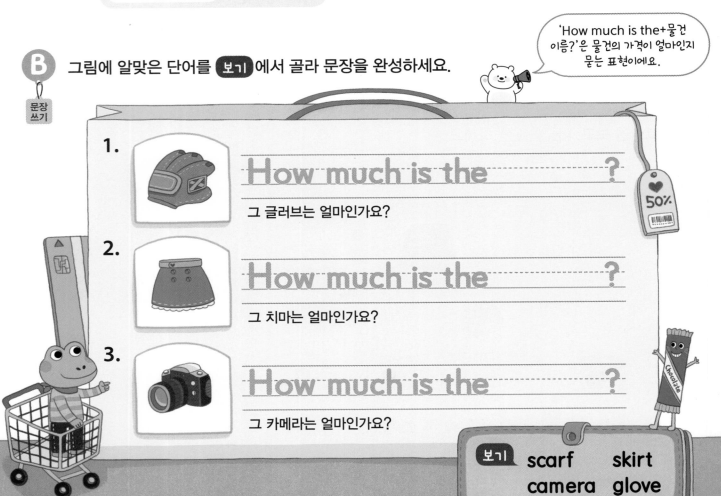

1. How much is the _____?

그 글러브는 얼마인가요?

2. How much is the _____?

그 치마는 얼마인가요?

3. How much is the _____?

그 카메라는 얼마인가요?

보기 scarf   skirt
camera   glove

How Much Is the Camera?

▶정답 10쪽

A 잘 듣고, 알맞은 단어에 동그라미 한 후 우리말 뜻을 쓰세요.

1.
cap
camera

뜻 _____

2.
skirt
scarf

뜻 _____

3.
glove
cap

뜻 _____

2
주

B 그림에 알맞은 단어가 되도록 알파벳을 바르게 배열하여 쓰세요.

1.

r s i t k

2.

m a r e a c

3.

v o l g e

4.

r s f a c

차곡차곡 복습!

● 단어를 듣고, 우리말 뜻을 말해 보세요.

도전!
1회 ☐ 2회 ☐ 3회 ☐

그것은 300원입니다

It's Three Hundred Won

단어

💜 **재미있는 이야기로 오늘 배울 단어를 만나 보세요.**

오늘 배울 단어를 들으며 따라 말해 보세요.

toy car
장난감 자동차

hair band
머리띠

pencil case
필통

100
hundred
백, 100

1000
thousand
천, 1,000

찬트 해 보세요.

단어 쑥쑥

A 잘 듣고, 알맞은 단어를 골라 기호를 쓰세요.

ⓐ hair band　　ⓑ toy car　　ⓒ pencil case

1.

2.

3.

B 그림에 알맞은 단어를 연결하세요.

1.

천, 1,000

2.

필통

· hair band ·

· thousand ·

· pencil case ·

· hundred ·

3.
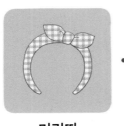

머리띠

4.

백, 100

C 그림에 알맞은 단어를 보기 에서 골라 쓰세요.

단어
쓰기

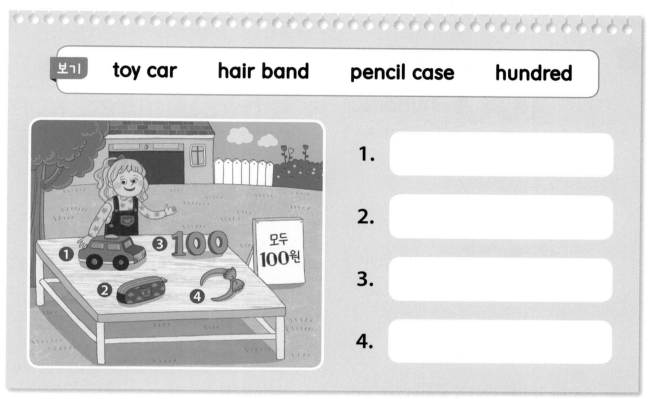

보기 toy car   hair band   pencil case   hundred

1.

2.

3.

4.

2
주

D 잘 듣고, 그림에 알맞은 단어를 완성하세요.

단어
완성

1.

un ☐ red

2.

ho ☐ sand

3.

to ☐ c ☐ r

문장 쑥쑥

▶정답 11쪽

A 단어를 읽고, 어구를 따라 쓰세요.

1. **hundred** 백, 100 → two hundred won
200원

2. **thousand** 천, 1,000 → six thousand won
6,000원

B 그림에 알맞은 단어를 보기 에서 골라 문장을 완성하세요.

> 물건의 가격을 말할 때는 'It's+숫자+화폐 단위.'로 해요.

1. It's five _____ won.
₩5,000
그것은 5,000원입니다.

2. It's three _____ won.
₩3,000
그것은 3,000원입니다.

3. It's nine _____ won.
₩900
그것은 900원입니다.

보기
hundred   toy car
hair band   thousand

76 • 똑똑한 하루 VOCA

실력 쑥쑥

A 잘 듣고, 알맞은 단어에 동그라미 한 후 우리말 뜻을 쓰세요.

1.
| thousand |
| hundred |

뜻 _____

2.
| toy car |
| pencil case |

뜻 _____

3.
| hundred |
| hair band |

뜻 _____

2 주

B 그림에 알맞은 단어가 되도록 알파벳을 바르게 배열하여 쓰세요.

1.

d u e h n r d

_____

2.
1000

n a t u s d h o

_____

3.

o t y c r a

_____

4.

i a h r d b n a

_____

차곡차곡 복습!

● 단어를 듣고, 우리말 뜻을 말해 보세요.

도전!
1회 ☐ 2회 ☐ 3회 ☐

똑똑한 하루

5일 VOCA

금요일이야
단어

It's Friday

💜 **재미있는 이야기로 오늘 배울 단어를 만나 보세요.**

2주

※ 오늘 배울 단어를 들으며 따라 말해 보세요.

Monday
월요일

Tuesday
화요일

Wednesday
수요일

Thursday
목요일

Friday
금요일

Saturday
토요일

Sunday
일요일

찬트 해 보세요.

단어 쑥쑥

A 잘 듣고, 알맞은 단어를 골라 기호를 쓰세요.

단어
듣기

ⓐ **Saturday**   ⓑ **Thursday**   ⓒ **Wednesday**

1.

Thu
목요일

2.

Sat
토요일

3.

Wed
수요일

B 그림에 알맞은 단어를 연결하세요.

의미
연결

1.

Sun
일요일

Monday

Tuesday

Friday

Sunday

2.

Tue
화요일

3.

Mon
월요일

4.

Fri
금요일

C 그림에 알맞은 단어를 보기 에서 골라 쓰세요.

단어
쓰기

보기 **Friday** **Tuesday** **Saturday** **Wednesday**

Monday ① ② Thursday ③ ④ Sunday

1. _____ 2. _____

3. _____ 4. _____

 D 잘 듣고, 그림에 알맞은 단어를 완성하세요.

단어
완성

1.

일요일

⬚ u ⬚ day

2.

월요일

⬚ o ⬚ day

3.

목요일

⬚ h ⬚ rsday

A 단어를 읽고, 문장 속에서 따라 쓰세요.

문장
완성

1.

Friday
금요일

→ **It's** Friday.

금요일이야.

2.

Tuesday
화요일

→ **It's** Tuesday.

화요일이야.

요일을 나타내는
단어는 항상 대문자로
시작해요.

B 그림에 알맞은 단어를 보기에서 골라 문장을 완성하세요.

문장
쓰기

1.

MON | It's
_____ .
월요일이야.

2.

WED | It's
_____ .
수요일이야.

3.

SAT | It's
_____ .
토요일이야.

보기 Wednesday Monday
Thursday Saturday

A 잘 듣고, 알맞은 단어에 동그라미 한 후 우리말 뜻을 쓰세요.

2주

1.
Thursday
Tuesday

뜻 _____

2.
Wednesday
Monday

뜻 _____

3.
Sunday
Friday

뜻 _____

B 그림에 알맞은 단어가 되도록 알파벳을 바르게 배열하여 쓰세요.

1.

Mon
월요일

d o M n a y

2.

Thu
목요일

d h u T r y a s

3.

Sat
토요일

S r a u d y t a

4.

Sun
일요일

u S a d n y

차곡차곡 복습!

● 단어를 듣고, 우리말 뜻을 말해 보세요.

도전!
1회 ☐ 2회 ☐ 3회 ☐

🧩 배운 내용을 떠올리며 말판 놀이를 해 보세요.

START

1. 그림을 보고 알맞은 단어에 동그라미 하세요.

leg

arm

2. 단어를 읽고 알맞은 그림에 동그라미 하세요.

camera

3. 그림과 단어가 일치하면 ○ 표, 일치하지 않으면 ✕ 표 하세요.

hair band

7. 단어를 읽고 알맞은 우리말 뜻에 ✓ 표 하세요.

pencil case

연필 □   필통 □

6. 그림에 알맞은 단어를 완성하세요.

Sat

__at__rda__

5. 그림을 보고 알파벳을 바르게 배열하여 단어를 쓰세요.

twieh

→ _____

4. 단어를 읽고 알맞은 숫자와 연결하세요.

thousand ·   · 100

hundred ·   · 1,000

그림을 보고 알맞은 단어에
동그라미 하세요.

orange

purple

9. 단어를 읽고 알맞은 그림에 동그라미 하세요.

head

10. 그림과 단어가 일치하면 ○ 표, 일치하지
않으면 × 표 하세요.

Wed

Wednesday

11. 단어를 읽고 알맞은 우리말 뜻과 연결하세요.

scarf · · 치마

skirt · · 목도리

12. 단어를 읽고 알맞은 그림에
동그라미 하세요.

Sunday

Sun   Mon

13. 그림에 알맞은 단어를
완성하세요.

b__o__n

14. 그림을 보고 알맞은 단어에 동그라미
하세요.

hand

foot

FINISH

Brain Game Zone

A 알파벳이 마법사의 유리구슬을 통과하면 어떤 규칙에 의해 바뀌게 돼요. 단서를 보고 단어를 쓰세요.

1.

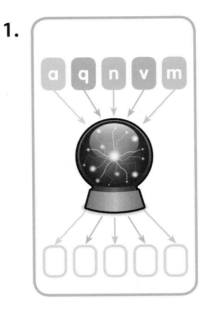

2.

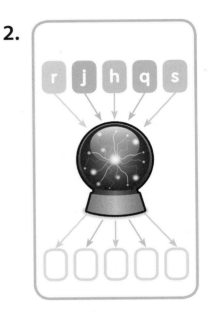

B 화살표 방향대로 알파벳 칸을 따라가면 단어가 만들어져요. 힌트를 참고하여 단어를 만들어 쓰세요.

1.

2.

C 찬호가 괴물과 스무고개를 하며 단어를 찾고 있어요. 대화를 읽고, 찬호가 찾은 단어를 보기 에서 골라 쓰세요.

보기   **arm**   **Saturday**   **foot**   **pencil case**

두 단어인가요?

땡! 아니야.

항상 대문자로 시작하는 단어인가요?

No! 틀렸어.

아하! 그럼 사람의 신체를 나타내는 단어군요.

맞아.

걸을 때 필요한 신체 부위인가요?

Yes!

찬호가 찾은 단어:

D 세 개의 동그라미가 겹치는 부분에는 세 개의 단어에 공통으로 들어가는 알파벳이 있어요.
단서를 보고 색칠한 부분에 알맞은 알파벳을 쓰세요.

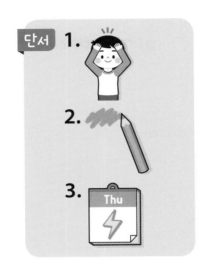

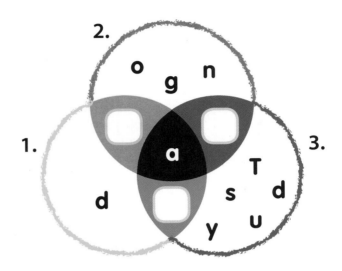

E 민아가 엄마의 스마트폰을 사용해야 하는데 전화기가 잠겨 있어요. 힌트를 참고하여 잠긴
화면을 풀 수 있는 단어를 쓰세요.

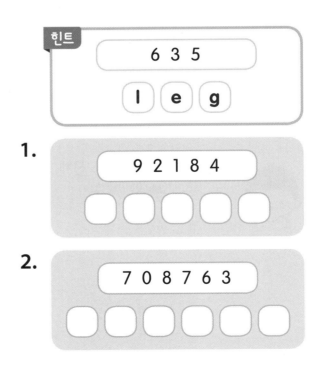

F 단서 와 힌트 를 보고 단어 퍼즐을 완성하세요.

단서 모든 행과 열, 그리고 대각선의 각 칸에 주어진 단어의 알파벳이 한 번씩 들어가야 해요.

힌트

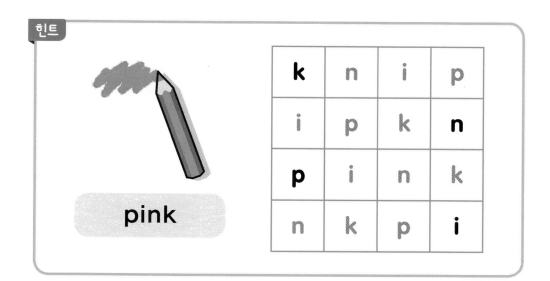

k	n	i	p
i	p	k	n
p	i	n	k
n	k	p	i

pink

hand

d			
			n
h			
			a

1 단어에 알맞은 그림을 고르세요.

arm

①
②
③
④

2 그림에 알맞은 단어를 고르세요.

목요일

① Monday
② Tuesday
③ Wednesday
④ Thursday

3 그림에 없는 단어를 고르세요.

① toy car
② hair band
③ thousand
④ pencil case

4 그림과 단어가 일치하지 않는 것을 고르세요.

①
camera
②
scarf
③
cap
④
glove

5 그림에 알맞은 단어를 보기에서 골라 기호를 쓰세요.

보기 ⓐ white ⓑ brown ⓒ pink

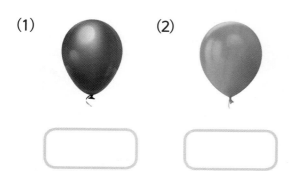

(1)

(2)

7 그림에 알맞은 단어를 골라 쓰세요.

_____

(orange / purple)

6 그림을 보고 문장의 빈칸에 알맞은 단어를 고르세요.

일요일

It's _____.

① Friday   ② Saturday

③ Sunday   ④ Tuesday

8 그림에 알맞은 단어가 되도록 알파벳을 바르게 배열하여 쓰세요.

(1) _____

(e g l)

(2) _____

(a d e h)

이번 주에는 무엇을 공부할까? ❶

💜 **재미있는 이야기로 이번 주에 공부할 내용을 알아보세요.**

A

◉ 여러분이 연주할 수 있는 악기에 동그라미 해 보세요.

drum

guitar

piano

violin

cello

◉ 여러분이 매일 하는 일에 ✔ 표 해 보세요.

eat
breakfast

ride a bike

drink milk

play a game

clean
the room

똑똑한 하루

1일
VOCA

네 재킷을 입어

Put on Your Jacket

단어

💜 **재미있는 이야기로 오늘 배울 단어를 만나 보세요.**

※ 오늘 배울 단어를 들으며 따라 말해 보세요.

shirt
셔츠

jacket
재킷

coat
코트

dress
드레스

pants
바지

찬트 해 보세요.

단어 쑥쑥

 A 잘 듣고, 알맞은 단어에 동그라미 하세요.

단어
듣기

1.

jacket	dress

2.

coat	shirt

3.

dress	pants

 B 그림에 알맞은 단어와 우리말 뜻을 연결하세요.

의미
연결

1.

shirt

바지

2.

jacket

재킷

3.

pants

셔츠

C 그림에 알맞은 단어를 찾아 동그라미 한 후 빈칸에 쓰세요.

단어
쓰기

p w c o a t g k b d r e s s q f k j a c k e t m x

1.

2.

3.

3
주

D 그림을 보고, 퍼즐을 완성하세요.

단어
완성

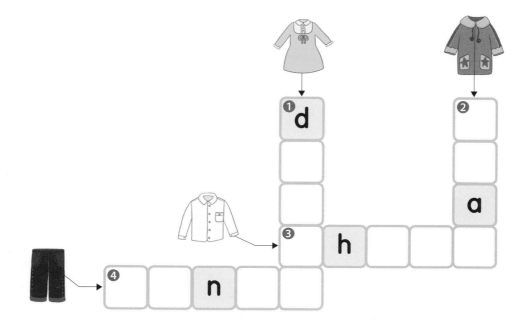

 똑똑한 하루

문장 쑥쑥

▶정답 15쪽

A 단어를 읽고, 문장 속에서 따라 쓰세요.

문장완성

1.

jacket
재킷

→ **Put on your** jacket**.**

네 재킷을 입어.

2.

shirt
셔츠

→ **Put on your** shirt**.**

네 셔츠를 입어.

B 그림에 알맞은 단어를 보기 에서 골라 문장을 완성하세요.

문장쓰기

옷을 입으라고 할 때는 'Put on your+의복 이름.'으로 말해요.

1. Put on your   .

네 바지를 입어.

2. Put on your   .

네 코트를 입어.

3. Put on your   .

네 드레스를 입어.

보기 shirt   pants
     dress   coat

A 잘 듣고, 알맞은 단어에 동그라미 한 후 우리말 뜻을 쓰세요.

1.
coat
shirt

뜻 _____

2.
dress
jacket

뜻 _____

3.
shirt
pants

뜻 _____

B 그림에 알맞은 단어가 되도록 알파벳을 바르게 배열하여 쓰세요.

1.

e s d s r

2.

e j k t c a

3.

t p n a s

4.

r s i t h

차곡차곡 복습!

● 단어를 듣고, 우리말 뜻을 말해 보세요.

도전!
1회 ☐ 2회 ☐ 3회 ☐

나는 피아노를 칠 수 있어

단어

I Can Play the Piano

💜 재미있는 이야기로 오늘 배울 단어를 만나 보세요.

3
주

오늘 배울 단어를 들으며 따라 말해 보세요.

violin
바이올린

cello
첼로

guitar
기타

drum
북

piano
피아노

찬트 해 보세요.

단어 쑥쑥

A 잘 듣고, 알맞은 단어를 골라 기호를 쓰세요.

단어 듣기

ⓐ piano　ⓑ guitar　ⓒ cello

1.

2.

3.

B 그림에 알맞은 단어와 우리말 뜻을 연결하세요.

의미 연결

1. 　　·　　·　**drum**　·　·　바이올린

2. 　　·　　·　**piano**　·　·　북

3. 　　·　　·　**violin**　·　·　피아노

▶정답 16쪽

C 그림에 알맞은 단어를 찾아 동그라미 한 후 빈칸에 쓰세요.

단어
쓰기

violinkpudrumaqbguitarhzx

1.

2.

3.

3
주

D 그림을 보고, 퍼즐을 완성하세요.

단어
완성

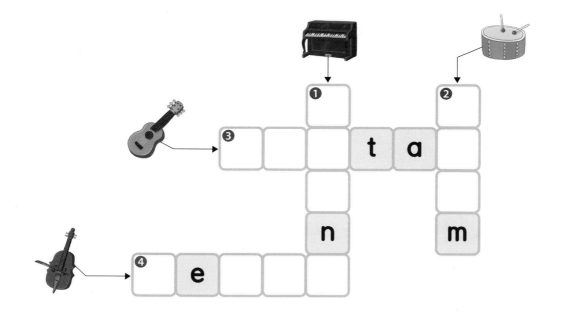

문장 쑥쑥

▶정답 16쪽

A 단어를 읽고, 어구를 따라 쓰세요.

1.

drum
북

→ play the drum

북을 치다

2.

violin
바이올린

→ play the violin

바이올린을 켜다

B 그림에 알맞은 단어를 보기 에서 골라 문장을 완성하세요.

악기를 연주할 수 있다고 할 때는 'I can play the+ 악기 이름.'으로 말해요.

1.

I can play the _____ .

나는 기타를 칠 수 있어.

2.

I can play the _____ .

나는 피아노를 칠 수 있어.

3.

I can play the _____ .

나는 첼로를 켤 수 있어.

보기   piano   guitar   violin   cello

A 잘 듣고, 알맞은 단어에 동그라미 한 후 우리말 뜻을 쓰세요.

1.
drum
piano

뜻 _____

2.
cello
violin

뜻 _____

3.
guitar
drum

뜻 _____

B 그림에 알맞은 단어가 되도록 알파벳을 바르게 배열하여 쓰세요.

1.  i v o i n l

2.  a g i t r u

3.  o i p n a

4.  e l c l o

차곡차곡 복습!

● 단어를 듣고, 우리말 뜻을 말해 보세요.

도전!
1회 ☐ 2회 ☐ 3회 ☐

그는 소방관이야

He's a Firefighter

단어

💜 **재미있는 이야기로 오늘 배울 단어를 만나 보세요.**

☀ 오늘 배울 단어를 들으며 따라 말해 보세요.

cook
요리사

doctor
의사

singer
가수

firefighter
소방관

police officer
경찰관

찬트 해 보세요.

A 잘 듣고, 알맞은 단어에 동그라미 하세요.

1.

cook

singer

2.

doctor

police officer

3.

firefighter

cook

B 그림에 알맞은 단어를 연결하세요.

1.

가수

doctor

firefighter

singer

police officer

2.

소방관

3.

의사

4.

경찰관

▶정답 17쪽

 C 단어 쓰기

그림에 알맞은 단어를 보기 에서 골라 쓰세요.

보기 firefighter   doctor   cook   police officer

1. _____

2. _____

3. _____

4. _____

3
주

 D 단어 완성

잘 듣고, 그림에 알맞은 단어를 완성하세요.

1.

do ☐ t ☐ r

2.

☐ o k

3.

in ☐ er

문장 쑥쑥

3일 VOCA

▶정답 17쪽

A 단어를 읽고, 문장 속에서 따라 쓰세요.

문장 완성

1.

singer
가수

→ **He's a** singer.

그는 가수야.

2.

doctor
의사

→ **She's a** doctor.

그녀는 의사야.

> 다른 사람의 직업을 말할 때는 'He's/She's a+직업 이름'으로 해요.

B 그림에 알맞은 단어를 보기에서 골라 문장을 완성하세요.

문장 쓰기

1.

He's a

그는 요리사야.

2.

She's a

그녀는 경찰관이야.

3.

He's a

그는 소방관이야.

보기

firefighter   singer
police officer   cook

119

실력 쑥쑥

A 잘 듣고, 알맞은 단어에 동그라미 한 후 우리말 뜻을 쓰세요.

1.
firefighter
police officer

뜻 _____

2.
singer
cook

뜻 _____

3.
police officer
doctor

뜻 _____

B 그림에 알맞은 단어가 되도록 알파벳을 바르게 배열하여 쓰세요.

1.
n i s r e g

2.
o r o t d c

3.
o c k o

4.
r i f e f t g i h e r

차곡차곡 복습!

● 단어를 듣고, 우리말 뜻을 말해 보세요.

도전!
1회 □   2회 □   3회 □

나는 책을 읽고 있어

단어

I'm Reading a Book

💜 **재미있는 이야기로 오늘 배울 단어를 만나 보세요.**

3주

※ 오늘 배울 단어를 들으며 따라 말해 보세요.

reading
읽고 있는

listening
듣고 있는

drawing
그리고 있는

washing
씻고 있는

making
만들고 있는

● 찬트 해 보세요.

단어 쑥쑥

A 잘 듣고, 알맞은 단어를 골라 기호를 쓰세요.

단어
듣기

ⓐ drawing　　ⓑ listening　　ⓒ reading

1.

2.

3.

B 그림에 알맞은 단어를 연결하세요.

의미
연결

1.

만들고 있는

2.

씻고 있는

drawing

making

washing

reading

3.

읽고 있는

4.

그리고 있는

C 그림에 알맞은 단어를 보기 에서 골라 쓰세요.

단어
쓰기

보기 **reading   listening   making   drawing**

1.

2.

3.

4.

D 잘 듣고, 그림에 알맞은 단어를 완성하세요.

단어
완성

1.

☐ is ☐ ening

2.

☐ a ☐ ing

3.

w ☐ s ☐ ing

문장 쑥쑥

A 단어를 읽고, 어구를 따라 쓰세요.

어구
쓰기

1.

making
만들고 있는

→ making a doll
인형을 만들고 있는

2.

washing
씻고 있는

→ washing the dishes
설거지를 하고 있는

'I'm+동작을 나타내는
말ing ~.'는 그 동작을 지금
하고 있다는 것을 의미해요.

B 그림에 알맞은 단어를 보기 에서 골라 문장을 완성하세요.

문장
쓰기

1.

I'm _____ a book.

나는 책을 읽고 있어.

2.

I'm _____ to music.

나는 음악을 듣고 있어.

3.

I'm _____ a flower.

나는 꽃을 그리고 있어.

보기
listening   washing
reading   drawing

A 잘 듣고, 알맞은 단어에 동그라미 한 후 우리말 뜻을 쓰세요.

1.
washing
making

뜻 _____

2.
reading
listening

뜻 _____

3.
making
drawing

뜻 _____

3
주

B 그림에 알맞은 단어가 되도록 알파벳을 바르게 배열하여 쓰세요.

1.

n d w i g a r

2.

r n a d e i g

3.

i a s w h g n

4.

t i l n e i g s n

● 단어를 듣고, 우리말 뜻을 말해 보세요.

도전!
1회 ☐ 2회 ☐ 3회 ☐

나는 매일 아침을 먹어

I Eat Breakfast Every Day

단어

💗 **재미있는 이야기로 오늘 배울 어구를 만나 보세요.**

3
주

☀ 오늘 배울 어구를 들으며 따라 말해 보세요.

ride a bike
자전거를 타다

play a game
게임을 하다

clean the room
방을 청소하다

drink milk
우유를 마시다

eat breakfast
아침을 먹다

찬트 해 보세요.

단어 쑥쑥

A 잘 듣고, 알맞은 어구에 동그라미 하세요.

어구
듣기

1.

drink milk

play a game

2.

ride a bike

eat breakfast

3.

play a game

clean the room

B 그림에 알맞은 어구를 연결하세요.

의미
연결

1.

아침을 먹다

drink milk

ride a bike

eat breakfast

clean the room

2.

우유를 마시다

3.

자전거를 타다

4.

방을 청소하다

C 그림에 알맞은 어구를 [보기] 에서 골라 쓰세요.

[보기] **clean the room   ride a bike   eat breakfast   play a game**

1.

2.

3.

4.

3
주

D 잘 듣고, 그림에 알맞은 어구를 완성하세요.

4

1.

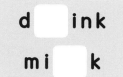

d　ink
mi　k

2.

e　t
br　akf　st

3.

pla
a gam

문장 쑥쑥

▶정답 19쪽

A 어구를 읽고, 문장 속에서 따라 쓰세요.

문장
완성

1.

drink milk
우유를 마시다

→ **I** drink milk **every day.**

나는 매일 우유를 마셔.

2.

eat breakfast
아침을 먹다

→ **I** eat breakfast **every day.**

나는 매일 아침을 먹어.

> 행동을 나타내는 말과 every day를 함께 쓰면 습관을 표현할 수 있어요.

B 그림에 알맞은 어구를 보기 에서 골라 문장을 완성하세요.

문장
쓰기

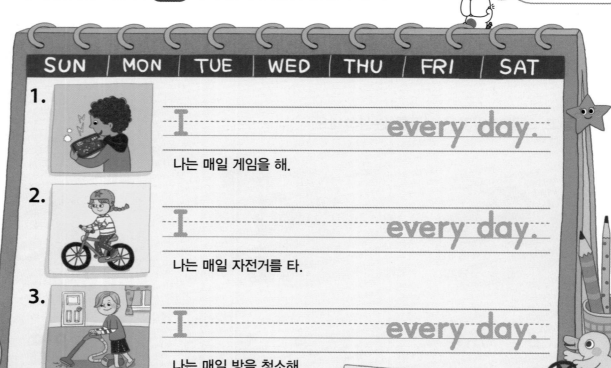

| SUN | MON | TUE | WED | THU | FRI | SAT |

1.
I   every day.
나는 매일 게임을 해.

2.
I   every day.
나는 매일 자전거를 타.

3.
I   every day.
나는 매일 방을 청소해.

보기
clean the room   ride a bike
eat breakfast   play a game

복습

실력 쑥쑥

▶정답 19쪽

5

A 잘 듣고, 알맞은 어구에 동그라미 한 후 우리말 뜻을 쓰세요.

1.

drink milk
ride a bike

뜻 _____

2.

clean the room
play a game

뜻 _____

3.

eat breakfast
drink milk

뜻 _____

3
주

B 그림에 알맞은 어구가 되도록 단어를 바르게 배열하여 쓰세요.

1.

milk drink

_____

2.

game a play

_____

3.

bike a ride

_____

4.

room clean the

_____

차곡차곡 복습!

6

● **단어를 듣고, 우리말 뜻을 말해 보세요.**

도전!
1회 ☐ 2회 ☐ 3회 ☐

배운 내용을 떠올리며 말판 놀이를 해 보세요.

1. 그림을 보고 알맞은 단어에 동그라미 하세요.

violin

guitar

START

12. 단어를 읽고 알맞은 그림에 동그라미 하세요.

reading

11. 그림과 단어가 일치하면 ○ 표, 일치하지 않으면 ✕ 표 하세요.

cello

10. 단어를 읽고 알맞은 우리말 뜻과 연결하세요.

cook · · 가수

singer · · 요리사

FINISH

9. 단어를 읽고 알맞은 그림에 동그라미 하세요.

jacket

8. 그림을 보고 알맞은 어구에 동그라미 하세요.

drink milk

play a game

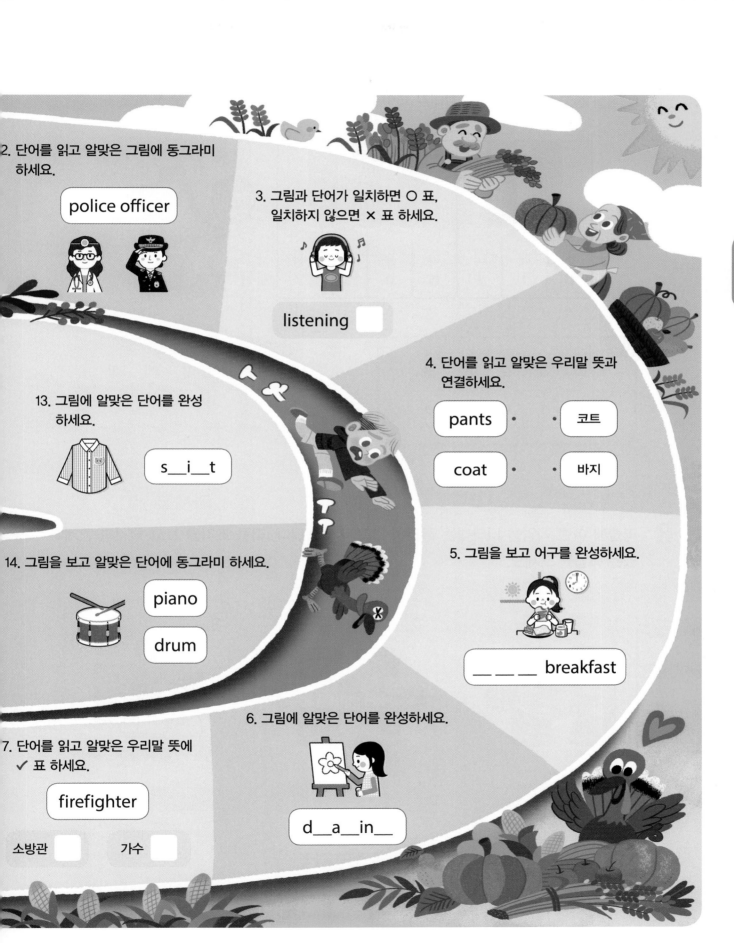

2. 단어를 읽고 알맞은 그림에 동그라미 하세요.

police officer

3. 그림과 단어가 일치하면 ○ 표, 일치하지 않으면 × 표 하세요.

listening ☐

13. 그림에 알맞은 단어를 완성 하세요.

s__i__t

4. 단어를 읽고 알맞은 우리말 뜻과 연결하세요.

pants · · 코트

coat · · 바지

14. 그림을 보고 알맞은 단어에 동그라미 하세요.

piano

drum

5. 그림을 보고 어구를 완성하세요.

__ __ __ breakfast

7. 단어를 읽고 알맞은 우리말 뜻에 ✓ 표 하세요.

firefighter

소방관 ☐   가수 ☐

6. 그림에 알맞은 단어를 완성하세요.

d__a__in__

A 힌트를 참고하여 주어진 음계대로 피아노를 연주했을 때 나타날 단어를 쓰세요.

도	레	미	파	솔	라	시
a	i	l	n	o	p	v

힌트

라	레	도	파	솔
p	i	a	n	o

시	레	솔	미	레	파

B 퍼즐에 어떤 직업을 나타내는 물건이 그려져 있습니다. 퍼즐 조각을 보고 물건과 관계 있는 직업을 쓰세요.

1.

2.
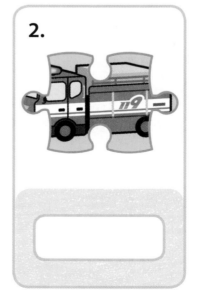

3.

C 임금님이 옷을 입고 마을로 갈 수 있게 의복을 나타내는 단어를 찾으며 미로를 통과해 보세요. 그런 다음 기호가 표시된 알파벳을 써서 문장을 완성하세요.

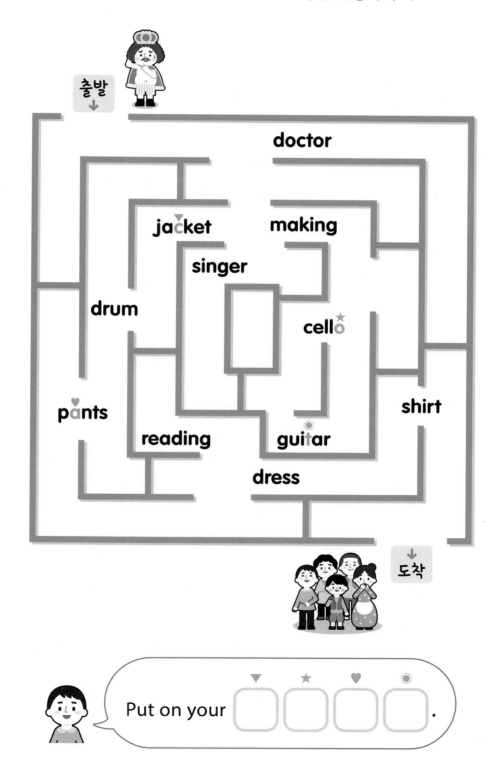

출발

doctor

jacket   making

singer

drum   cello

pants

reading   guitar

shirt

dress

도착

▼ ★ ♥ ◉

Put on your ☐ ☐ ☐ ☐ .

D 힌트를 참고하여 몬스터 친구들의 수수께끼를 풀어 보세요.

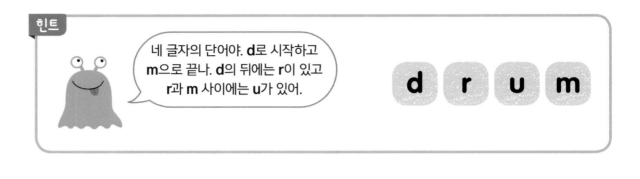

힌트

네 글자의 단어야. **d**로 시작하고 **m**으로 끝나. **d**의 뒤에는 **r**이 있고 **r**과 **m** 사이에는 **u**가 있어.

d r u m

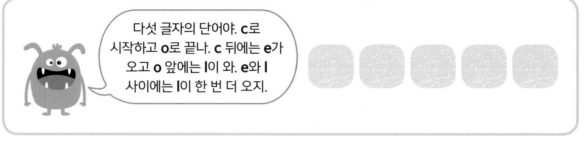

다섯 글자의 단어야. **c**로 시작하고 **o**로 끝나. **c** 뒤에는 **e**가 오고 **o** 앞에는 **l**이 와. **e**와 **l** 사이에는 **l**이 한 번 더 오지.

E 다음 표에는 알파벳 대문자가 숨겨져 있어요. 그림과 단어가 일치하는 칸에 색칠하여 숨겨진 알파벳 대문자를 찾아 쓰세요.

singer	guitar	coat
piano	making	cook
washing	doctor	dress

숨겨진 알파벳 대문자:

F 민아가 영어를 한글 자판으로 잘못 입력했어요. 힌트 를 참고하여 민아가 영어로 입력하려고
한 어구를 쓰세요.

q ㅂ	w ㅈ	e ㄷ	r ㄱ	t ㅅ	y ㅛ	u ㅕ	i ㅑ	o ㅐ	p ㅔ
a ㅁ	s ㄴ	d ㅇ	f ㄹ	g ㅎ	h ㅗ	j ㅓ	k ㅏ	l ㅣ	
⇧	z ㅋ	x ㅌ	c ㅊ	v ㅍ	b ㅠ	n ㅜ	m ㅡ	⌫	
?123	☺	🌐						.	↵

힌트

ㄷㅁㅅ
ㅠㄱㄷㅁㅏㄹㅁㄴㅅ
➡ eat
breakfast

1.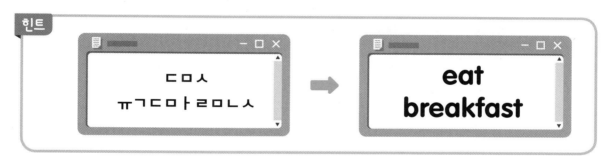

ㄱㅑㅇㄷ
ㅁ ㅠㅑㅏㄷ ➡

2.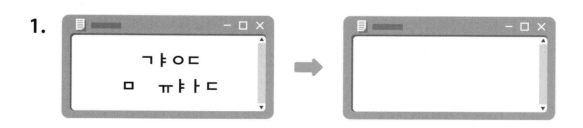

ㅊㅣㄷㅁㅜ
ㅅㅗㄷ ㄱㅐㅔㅡ ➡

누구나 **100점** **TEST**

1 단어에 알맞은 그림을 고르세요.

washing

①

②

③

④

2 그림에 알맞은 어구를 고르세요.

① ride a bike

② play a game

③ eat breakfast

④ clean the room

3 그림에 <u>없는</u> 단어를 고르세요.

① singer   ② cook

③ firefighter ④ police officer

4 그림과 단어가 일치하지 <u>않는</u> 것을 고르세요.

①

shirt

②

jacket

③

coat

④

dress

5 그림에 알맞은 단어를 보기 에서 골라 기호를 쓰세요.

보기 ⓐ cello ⓑ guitar ⓒ piano

(1)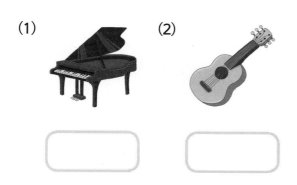

(2)

6 그림을 보고 문장의 빈칸에 알맞은 어구를 고르세요.

I _____ every day.

① eat breakfast   ② drink milk

③ ride a bike   ④ play a game

7 그림에 알맞은 단어를 골라 쓰세요.

_____

_____

(cook / doctor)

8 그림에 알맞은 단어가 되도록 알파벳을 바르게 배열하여 쓰세요.

(1) _____

(n r a i w g d)

(2) _____

(a r n e i d g)

3
주

이번 주에는 무엇을 공부할까? ❶

🐾 재미있는 이야기로 이번 주에 공부할 내용을 알아보세요.

4주 이번 주에는 무엇을 공부할까? ❷

A

◉ 깃발의 위치로 알맞은 것에 ✔ 표 해 보세요.

Where is my flag? 🚩

It's in the hat.

모자 안 ☐   모자 위 ☐   모자 아래 ☐

답 ▶ 6 ∀8

B

◉ 머리띠의 가격을 숫자로 써 보세요.

How much is
the hair band?

It's seven
hundred won.

원

답 ▶ 700

Level 2 B • 137

이것은 네 손목시계니?

Is This Your Watch?

쓰기

💜 **재미있는 이야기로 오늘 배울 표현을 만나 보세요.**

4주

☀ 오늘 배울 표현을 들으며 따라 말해 보세요.

Is this your watch?
이것은 네 손목시계니?

Yes, it is.
응, 그래.

No, it isn't.
아니, 그렇지 않아.

watch
손목시계

mirror
거울

camera
카메라

guitar
기타

shirt
셔츠

pencil case
필통

문장 쓰며 실력 쑥쑥

A 그림에 알맞은 단어에 동그라미 한 후 쓰세요.

1.

mirror   guitar

2.

watch   camera

3.

shirt   pencil case

B 어구를 따라 쓴 후 알맞은 그림에 연결하세요.

1. your watch

너의 손목시계

2. your shirt

너의 셔츠

3. your guitar

너의 기타

▶정답 22쪽

 그림에 알맞은 단어에 ✔ 표 한 후 문장을 완성하세요.

1.

- shirt
- guitar

Is this your _____ ?

이것은 네 기타니?

2.

- mirror
- watch

Is this your _____ ?

이것은 네 손목시계니?

4
주

 그림에 알맞은 단어를 보기 에서 골라 문장을 완성하세요.

보기   camera   shirt   mirror   pencil case

1.

Is this your _____ ?

이것은 네 거울이니?

2.

Is this your _____ ?

이것은 네 카메라니?

3.

Is this your _____ ?

이것은 네 필통이니?

대화 완성하며 실력 쑥쑥

A 그림을 보고, 질문에 알맞은 대답에 ✔ 표 하세요.

1.
Is this your mirror?

☐ Yes, it is.

☐ No, it isn't.

2.
Is this your camera?

☐ Yes, it is.

☐ No, it isn't.

Is this your ~?라고 물을 때 맞으면 Yes, it is., 아니면 No, it isn't.라고 대답해요.

B 대화를 읽고, 질문을 따라 쓰세요.

1.

A: Is this your watch?

이것은 네 손목시계니?

B: **Yes, it is.**

응, 그래.

2.

A: Is this your guitar?

이것은 네 기타니?

B: **No, it isn't.**

아니, 그렇지 않아.

그림에 알맞은 단어를 써서 대화를 완성하세요.

1.

A: Is this your _____?

B: Yes, it is.

2.

A: Is this your _____?

B: No, it isn't.

3.

A: Is this your _____?

B: Yes, it is.

창의 서술형

D 친구의 것인지 묻고 싶은 물건을 그린 후 알맞은 질문을 쓰세요.

A: _____

B: Yes, it is.

내 야구 방망이는 어디 있니?

쓰기

Where Is My Bat?

💜 재미있는 이야기로 오늘 배울 표현을 만나 보세요.

안 돼! 그건 더러운 게 아니야. 사인 받은 거라고!

4
주

❋ 오늘 배울 표현을 들으며 따라 말해 보세요.

Where is my bat?
내 야구 방망이는 어디 있니?

It's on the desk.
그것은 책상 위에 있어.

bat
야구 방망이

flag
깃발

umbrella
우산

glove
글러브

cap
모자

toy car
장난감 자동차

문장 쓰며 실력 쑥쑥

A 그림에 알맞은 단어에 동그라미 한 후 쓰세요.

1.

toy car	bat

_____

_____

2.

umbrella	cap

_____

_____

3.

glove	flag

_____

_____

B 어구를 따라 쓴 후 알맞은 그림에 연결하세요.

1.

my flag

나의 깃발

•

2. my cap

나의 모자

•

3.

my toy car

나의 장난감 자동차

•

•

•

•

▶정답 23쪽

C 그림에 알맞은 단어에 ✔ 표 한 후 문장을 완성하세요.

1.

cap

bat

Where is my _____ **?**

내 모자는 어디 있니?

2.

flag

toy car

Where is my _____ **?**

내 장난감 자동차는 어디 있니?

4
주

D 그림에 알맞은 단어를 보기 에서 골라 문장을 완성하세요.

보기　　**umbrella　　flag　　bat　　glove**

1.

Where is my _____ ?

내 글러브는 어디 있니?

2.

Where is my _____ ?

내 우산은 어디 있니?

3.

Where is my _____ ?

내 야구 방망이는 어디 있니?

대화 완성하며 실력 쑥쑥

A 그림을 보고, 질문에 알맞은 대답에 ✓ 표 하세요.

1.

> Where is my flag?

☐ It's in the hat.

☐ It's on the hat.

2.

> Where is my bat?

☐ It's on the desk.

☐ It's under the desk.

> 자신의 물건이 어디에 있는지 물을 때는 'Where is my+물건 이름?'으로 말하고, 위치를 나타내는 in, on, under를 이용해서 대답해요.

B 대화를 읽고, 질문을 따라 쓰세요.

1.

A: Where is my cap?

내 모자는 어디 있니?

B: **It's on the desk.**

그것은 책상 위에 있어.

2.

A: Where is my glove?

내 글러브는 어디 있니?

B: **It's under the hat.**

그것은 모자 아래에 있어.

그림에 알맞은 단어를 써서 대화를 완성하세요.

1.

A: Where is my ?

B: It's on the desk.

2.

A: Where is my ?

B: It's in the hat.

3.

A: Where is my ?

B: It's under the desk.

창의 서술형

D 여러분의 물건 중 하나를 그린 후 그것이 어디에 있는지 묻는 질문을 쓰세요.

A:

B: It's on the desk.

몇 시니?

What Time Is It?

쓰기

💜 **재미있는 이야기로 오늘 배울 표현을 만나 보세요.**

4
주

☸ 오늘 배울 표현을 들으며 따라 말해 보세요.

What time is it?
몇 시니?

It's two ten.
2시 10분이야.

ten
십, 10

twenty
이십, 20

thirty
삼십, 30

forty
사십, 40

fifty
오십, 50

o'clock
~시 (정각)

문장 쓰며 실력 쑥쑥

 그림에 알맞은 단어에 동그라미 한 후 쓰세요.

1.

ten | twenty

2.

30

thirty | forty

3.

50

fifty | o'clock

 단어를 따라 쓴 후 알맞은 그림에 연결하세요.

1. o'clock

~시 (정각)

2. ten

십, 10

3. forty

사십, 40

▶정답 24쪽

C 그림에 알맞은 단어에 ✔ 표 한 후 문장을 완성하세요.

1.

☐ ten

☐ twenty

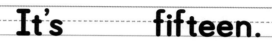

It's   fifteen.

10시 15분이야.

2.

☐ forty

☐ o'clock

It's nine   .

9시 정각이야.

4
주

D 그림에 알맞은 단어를 보기 에서 골라 문장을 완성하세요.

보기   twenty   thirty   forty   fifty

1.

It's five   .

5시 20분이야.

2.

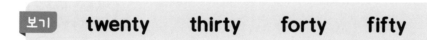

It's eight   .

8시 30분이야.

3.

It's three   .

3시 50분이야.

3일 VOCA

대화 완성하며 실력 쑥쑥

A 그림을 보고, 질문에 알맞은 대답에 ✓ 표 하세요.

1.

- [ ] It's ten fifty.
- [ ] It's ten o'clock.

2.

- [ ] It's twelve thirty.
- [ ] It's twelve twenty.

> 몇 시인지 물을 때는
> What time is it?이라고 말하고,
> 'It's+시+분.'으로 대답해요.

B 대화를 읽고, 대답을 따라 쓰세요.

1.

A: **What time is it?**
몇 시니?

B: It's three o'clock.

3시 정각이야.

2.

A: **What time is it?**
몇 시니?

B: It's one forty.

1시 40분이야.

그림에 알맞은 단어를 써서 대화를 완성하세요.

1.

A: **What time is it?**

B: It's two .

2.

A: **What time is it?**

B: It's four .

3.

A: **What time is it?**

B: It's seven .

4
주

창의 서술형

 현재 시각을 나타내는 시계를 그린 후 질문에 알맞은 대답을 쓰세요.

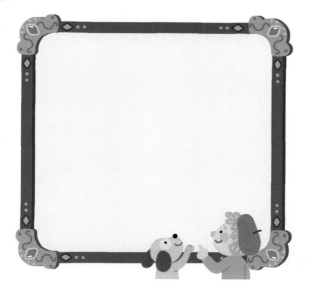

A: **What time is it?**

B:

그 애플파이는 얼마인가요?

How Much Is the Apple Pie?

♥ 재미있는 이야기로 오늘 배울 표현을 만나 보세요.

4주

❈ 오늘 배울 표현을 들으며 따라 말해 보세요.

How much is the apple pie?
그 애플파이는 얼마인가요?

It's eight thousand won.
그것은 8,000원이야.

apple pie
애플파이

ice cream
아이스크림

hair band
머리띠

jacket
재킷

skirt
치마

scarf
스카프, 목도리

문장 쓰며 실력 쑥쑥

A 그림에 알맞은 단어에 동그라미 한 후 쓰세요.

1.

scarf

skirt

_____

2.

jacket

hair band

_____

3.

ice cream

apple pie

_____

B 단어를 따라 쓴 후 알맞은 그림에 연결하세요.

1.  scarf

스카프, 목도리

·

2.  ice cream

아이스크림

·

3.  hair band

머리띠

·

·

·

·

▶정답 25쪽

C 그림에 알맞은 단어에 ✔ 표 한 후 문장을 완성하세요.

1.

☐ jacket

☐ scarf

How much is the _____ ?

그 목도리는 얼마인가요?

2.

☐ skirt

☐ hair band

How much is the _____ ?

그 치마는 얼마인가요?

4
주

D 그림에 알맞은 단어를 보기 에서 골라 문장을 완성하세요.

보기   jacket   ice cream   hair band   apple pie

1.

How much is the _____ ?

그 머리띠는 얼마인가요?

2.
How much is the _____ ?

그 아이스크림은 얼마인가요?

3.
How much is the _____ ?

그 애플파이는 얼마인가요?

대화 완성하며 실력 쑥쑥

A 그림을 보고, 질문에 알맞은 대답에 ✔ 표 하세요.

1.

How much is the jacket?   ₩5,000

☐ It's five hundred won.

☐ It's five thousand won.

2.

How much is the ice cream?   ₩200

☐ It's two hundred won.

☐ It's two thousand won.

> 물건의 가격은 'How much is the+ 물건 이름?'으로 묻고, 'It's+숫자+ 화폐 단위.'로 대답해요.

B 대화를 읽고, 질문을 따라 쓰세요.

1.

₩3,000

A: How much is the scarf?
그 목도리는 얼마인가요?

B: It's three thousand won.
그것은 3,000원이야.

2.

₩800

A: How much is the hair band?
그 머리띠는 얼마인가요?

B: It's eight hundred won.
그것은 800원이야.

▶정답 25쪽

C 그림에 알맞은 단어를 써서 대화를 완성하세요.

1.

A: How much is the _____?

B: It's six thousand won.

2.

A: How much is the _____?

B: It's nine thousand won.

3.

A: How much is the _____?

B: It's four hundred won.

창의 서술형

D 여러분이 사고 싶은 물건을 그린 후 그 물건의 가격을 묻는 질문을 쓰세요.

A: _____

B: It's five hundred won.

똑똑한 하루

5일 VOCA

너는 무엇을 하고 있니?

What Are You Doing?

쓰기

💜 **재미있는 이야기로 오늘 배울 표현을 만나 보세요.**

4주

※ 오늘 배울 표현을 들으며 따라 말해 보세요.

What are you doing?
너는 무엇을 하고 있니?

I'm playing a game.
나는 게임을 하고 있어.

playing a game
게임을 하고 있는

eating breakfast
아침을 먹고 있는

riding a bike
자전거를 타고 있는

cleaning the room
방을 청소하고 있는

문장 쓰며 실력 쑥쑥

A 그림에 알맞은 어구에 동그라미 한 후 쓰세요.

1.

riding a bike

eating breakfast

_____

2.

playing a game

cleaning the room

_____

B 어구를 따라 쓴 후 알맞은 그림에 연결하세요.

1. playing a game

게임을 하고 있는

2. eating breakfast

아침을 먹고 있는

그림에 알맞은 단어에 ✔ 표 한 후 문장을 완성하세요.

1.

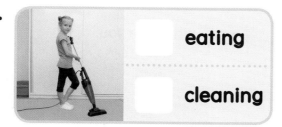

☐ eating

☐ cleaning

I'm _____ the room.

나는 방을 청소하고 있어.

2.

☐ playing

☐ riding

I'm _____ a game.

나는 게임을 하고 있어.

 그림에 알맞은 어구를 보기 에서 골라 문장을 완성하세요.

보기	riding a bike	eating breakfast
	playing a game	cleaning the room

1.

I'm _____ .

나는 아침을 먹고 있어.

2.

I'm _____ .

나는 게임을 하고 있어.

3.

I'm _____ .

나는 자전거를 타고 있어.

대화 완성하며 실력 쑥쑥

A 그림을 보고, 질문에 알맞은 대답에 ✔ 표 하세요.

1.

What are you doing?

☐ I'm eating breakfast.

☐ I'm cleaning the room.

2.

What are you doing?

☐ I'm riding a bike.

☐ I'm playing a game.

> What are you doing?은 상대방이 지금 무엇을 하고 있는지 묻는 말이고, 'I'm +동작을 나타내는 말ing ~.'로 대답해요.

B 대화를 읽고, 대답을 따라 쓰세요.

1.

A: **What are you doing?**
너는 무엇을 하고 있니?

B: I'm riding a bike.
나는 자전거를 타고 있어.

2.

A: **What are you doing?**
너는 무엇을 하고 있니?

B: I'm eating breakfast.
나는 아침을 먹고 있어.

▶정답 26쪽

C 그림에 알맞은 어구를 써서 대화를 완성하세요.

1.

A: **What are you doing?**

B: I'm _____ .

2.

A: **What are you doing?**

B: I'm _____ .

3.

A: **What are you doing?**

B: I'm _____ .

창의 서술형

D 여러분이 지금 하고 있는 일을 상상하여 그린 후 질문에 알맞은 대답을 쓰세요.

A: **What are you doing?**

B: _____

배운 내용을 떠올리며 말판 놀이를 해 보세요.

START

1. 대화를 읽고 그림이 내용과 일치하면
   ○ 표, 일치하지 않으면 × 표 하세요.

A: What time is it?
B: It's six o'clock.

2. 대화를 읽고 애플파이의 가격을 골라 ✓ 표
   하세요.

A: How much is the apple pie?
B: It's six hundred won.

₩600 ☐   ₩6,000 ☐

5. 질문과 대답을 바르게 연결하세요.

Is this your shirt? · · It's ten fifty.

What time is it? · · Yes, it is.

4. 대화를 읽고 알맞은 그림에 동그라미 하세요.

A: What are you doing?
B: I'm riding a bike.

3. 질문을 읽고 그림에 알맞은 대답을 골라
   ✓ 표 하세요.

Where is my cap?

It's in the hat. ☐
It's on the desk. ☐

6. 대화를 읽고 알맞은 그림에 동그라미 하세요.

A: What time is it?
B: It's one forty.

7. 그림을 보고 대화를 완성하세요.

A: Where is my _____?
B: It's _____ the desk.

8. 대화를 읽고 그림이 내용과 일치하면 ○ 표, 일치하지 않으면 × 표 하세요.

A: What are you doing?
B: I'm eating breakfast.

9. 대화를 읽고 대화에 나오는 물건은 우리말로, 가격은 숫자로 쓰세요.

A: How much is the pencil case?
B: It's three thousand won.

물건: _____   가격: ₩ _____

10. 질문을 읽고 그림에 알맞은 대답을 골라 ✓ 표 하세요.

Is this your mirror?

Yes, it is. ☐
No, it isn't. ☐

FINISH

Brain Game Zone

A 혁이가 놀이터에서 물건을 주워 친구의 것인지 묻고 있어요. 대화를 읽고, 사다리타기를 했을 때 내용과 일치하도록 사다리에 가로선을 그어 보세요.

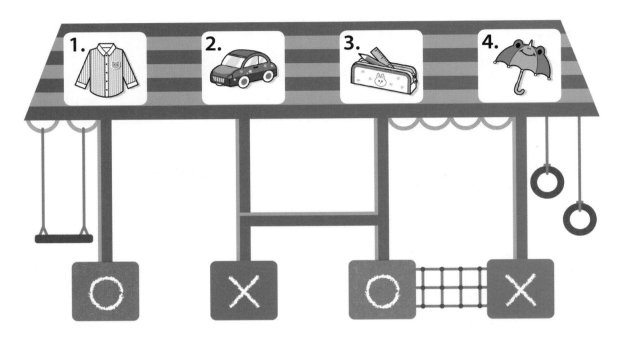

1.
A: Is this your shirt?
B: Yes, it is.

2.
A: Is this your toy car?
B: Yes, it is.

3.
A: Is this your pencil case?
B: No, it isn't.

4.
A: Is this your umbrella?
B: No, it isn't.

정답 27쪽

B 화살표 방향대로 표의 칸을 따라가면 문장이 만들어져요. 힌트를 참고하여 문장을 만들어 대화를 완성하세요.

힌트

출발	your	mirror
is	Where	?
What	my	glove

A: Where is my glove?
B: It's on the desk.

1.

Where	출발	the
is	flag	camera
this	my	?

A: _____
B: It's in the hat.

2.

desk	.	출발
the	on	It's
in	under	hat

A: Where is my guitar?
B: _____

C 찬호가 알뜰시장에서 물건을 샀어요. **단서** 와 1, 2, 3 대화를 차례로 읽고, 마지막에 무엇을 얼마에 샀는지 대화를 완성하세요.

단서

1. 찬호는 남은 용돈 9천 원을 이곳에서 모두 썼습니다.

2. 찬호가 산 물건:

1. How much is the jacket?

    It's six thousand won.

2. How much is the hair band?

    It's seven hundred won.

3. How much is the ice cream?

    It's three hundred won.

4. How much is the ⬜ ⬜ ?

    It's ⬜ ⬜ won.

D 각 선수가 결승점에 도착할 수 있게 미로를 통과해 보세요. 미로를 통과하며 만나는 단어로 질문에 알맞은 대답을 써서 대화를 완성하세요.

1.

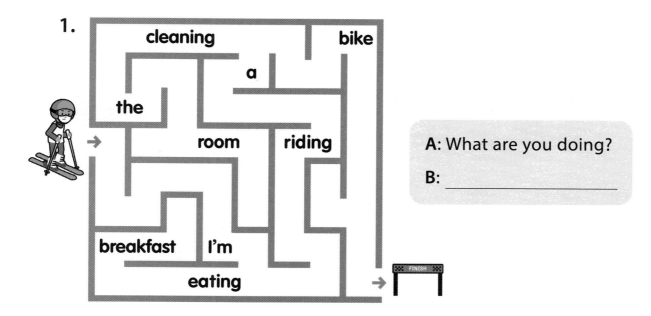

A: What are you doing?

B: _____

2.

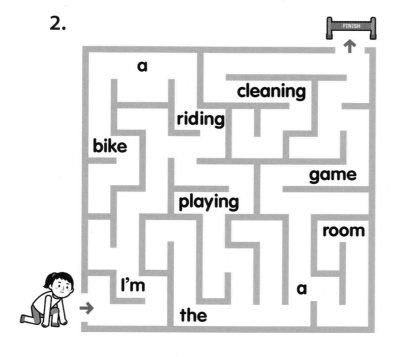

A: What are you doing?

B: _____

1 문장을 읽고 알맞은 그림을 고르세요.

It's eight thirty.

①  ②

③  ④

2 그림을 보고 문장의 빈칸에 알맞은 어구를 고르세요.

I'm _____.

① riding a bike

② playing a game

③ eating breakfast

④ cleaning the room

3 그림을 보고 모자의 위치로 알맞은 문장을 고르세요.

① It's in the hat.

② It's on the desk.

③ It's under the hat.

④ It's under the desk.

4 대화를 읽고 알맞은 그림을 고르세요.

A: Is this your watch?
B: Yes, it is.

①  ②

③  ④

5 그림을 보고 대화의 빈칸에 알맞은 말이
바르게 짝 지어진 것을 고르세요.

A: Where is my _____?
B: It's _____ the hat.

① toy car - on   ② toy car - in
③ flag - in   ④ flag - under

6 그림을 보고 여자아이가 할 말로 알맞은 것을
고르세요.

A: _____
B: It's eight hundred won.

① What time is it?
② Is this your hair band?
③ Where is my hair band?
④ How much is the hair band?

7 그림을 보고 빈칸에 알맞은 어구를 골라
쓰세요.

A: **What are you doing?**

B: I'm _____.

(playing a game / eating breakfast)

8 그림을 보고 단어를 바르게 배열하여 대화를
완성하세요.

A: **What time is it?**

B: _____

(four / It's / forty / .)

Words List

단어를 읽은 후 뜻을 기억하고 있는 것에 ✔ 표 해 보세요.

1주 1일

pretty ☐	cute ☐
tall ☐	old ☐
young ☐	

1주 2일

sun ☐	moon ☐
star ☐	tree ☐
flower ☐	

1주 3일

bear ☐	monkey ☐
giraffe ☐	lion ☐
elephant ☐	

1주 4일

run ☐	eat ☐
talk ☐	push ☐
enter ☐	

1주 5일

soccer ☐	basketball ☐
baseball ☐	badminton ☐
tennis ☐	

2주 1일

white	☐	pink	☐
orange	☐	purple	☐
brown	☐		

2주 2일

head	☐	arm	☐
hand	☐	leg	☐
foot	☐		

2주 3일

camera	☐	cap	☐
glove	☐	skirt	☐
scarf	☐		

2주 4일

toy car	☐	hair band	☐
pencil case	☐	hundred	☐
thousand	☐		

2주 5일

Monday	☐	Tuesday	☐
Wednesday	☐	Thursday	☐
Friday	☐	Saturday	☐
Sunday	☐		

Words List

3주 1일

shirt	☐	jacket	☐
coat	☐	dress	☐
pants	☐		

3주 2일

violin	☐	cello	☐
guitar	☐	drum	☐
piano	☐		

3주 3일

cook	☐	doctor	☐
singer	☐	firefighter	☐
police officer	☐		

3주 4일

reading	☐	listening	☐
drawing	☐	washing	☐
making	☐		

3주 5일

ride a bike	☐	play a game	☐
clean the room	☐	drink milk	☐
eat breakfast	☐		

memo

memo

old	star	monkey	run
tall	moon	bear	elephant
cute	sun	flower	lion
pretty	young	tree	giraffe

enter	badminton	orange	arm
push	baseball	pink	head
talk	basketball	white	brown
eat	soccer	tennis	purple

camera	scarf	hundred	Wednesday
foot	skirt	pencil case	Tuesday
leg	glove	hair band	Monday
hand	cap	toy car	thousand

52

51

50

49

56

55

54

53

60

59

58

57

64

63

62

61

Sunday	dress	guitar	doctor
Saturday	coat	cello	cook
Friday	jacket	violin	piano
Thursday	shirt	pants	drum

reading	police officer	firefighter	singer
making	washing	drawing	listening
drink milk	clean the room	play a game	ride a bike
			eat breakfast

천재교육

영어 알파벳 중에서 가장 위대한 세 철자는
N, O, W
곧 지금(NOW)이다.

The three greatest English alphabets are N, O, W,
which means now.

월터 스콧

언젠가는 해야지, 언젠가는 달라질 거야!
'언젠가는'이라는 말에 자신의 미래를 맡기지 마세요.
해야 할 일, 하고 싶은 일은 지금 당장 실행에 옮기세요.
가장 중요한 건 과거도 미래도 아닌 바로 지금이니까요.

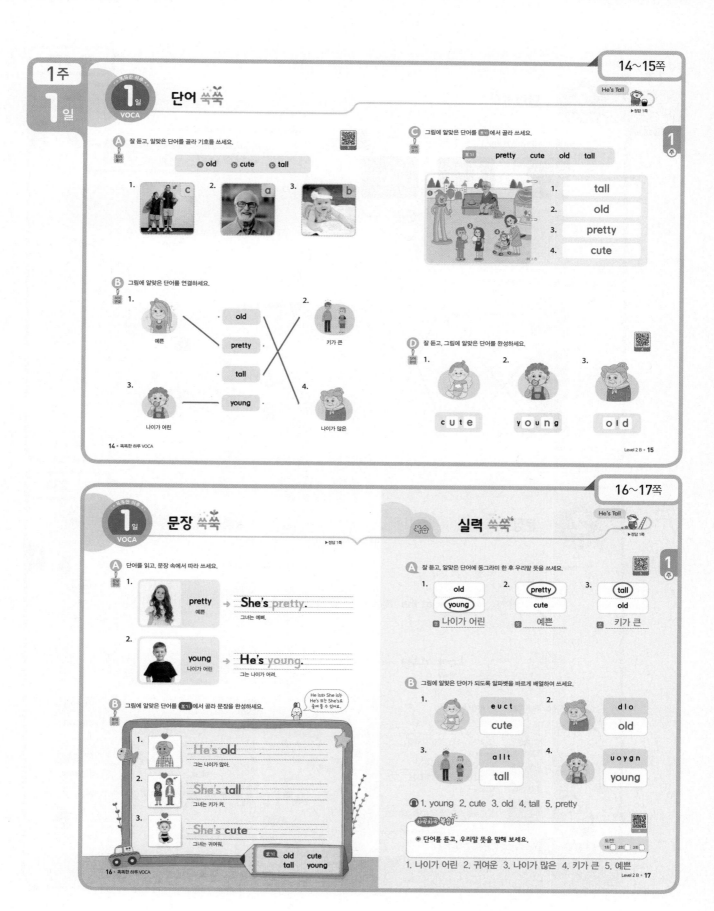

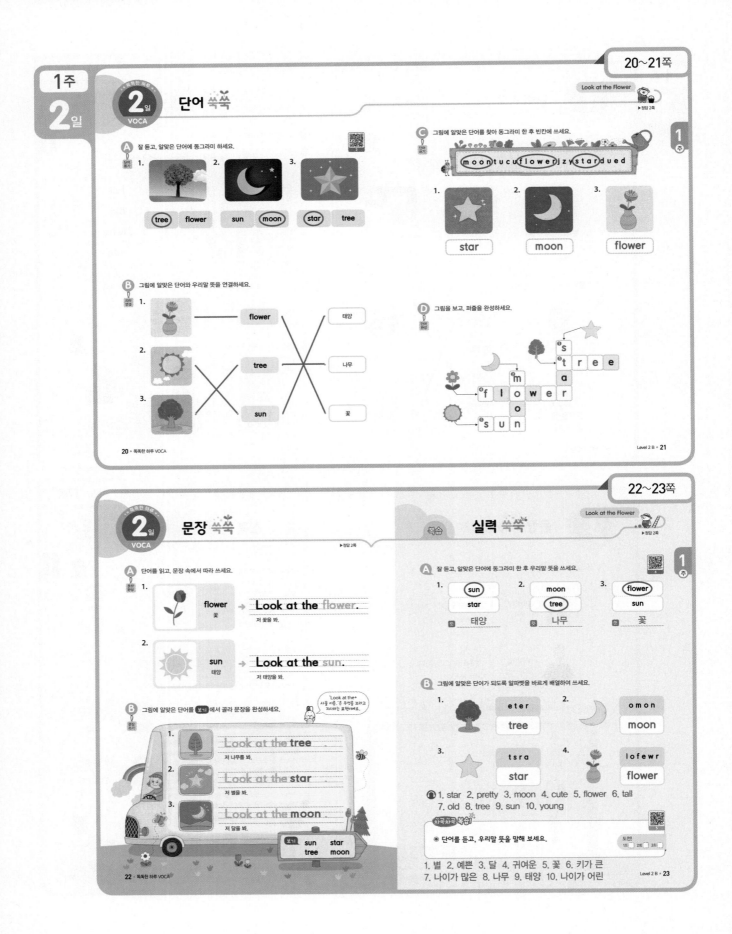

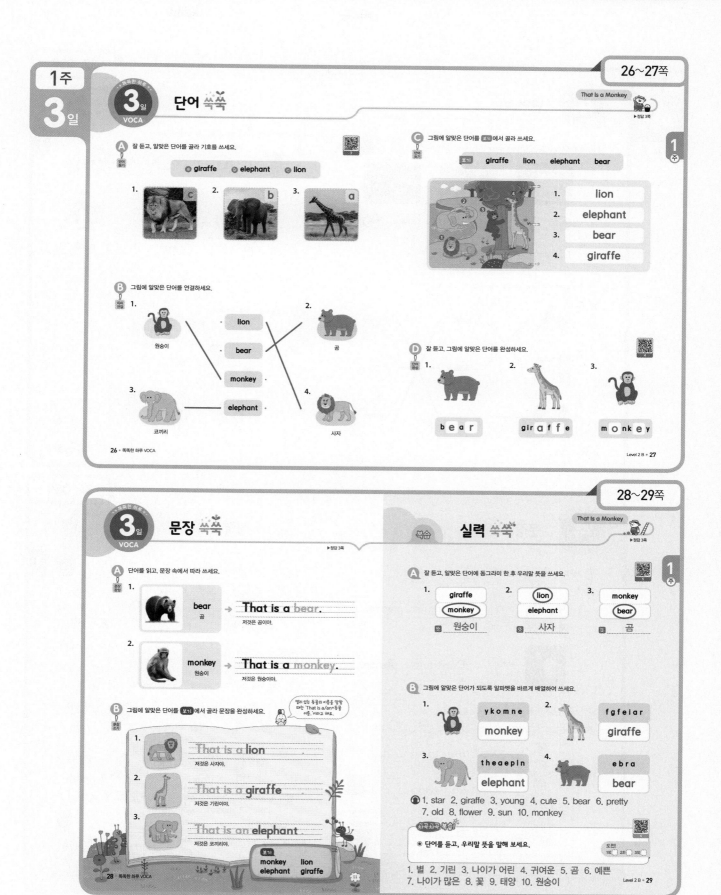

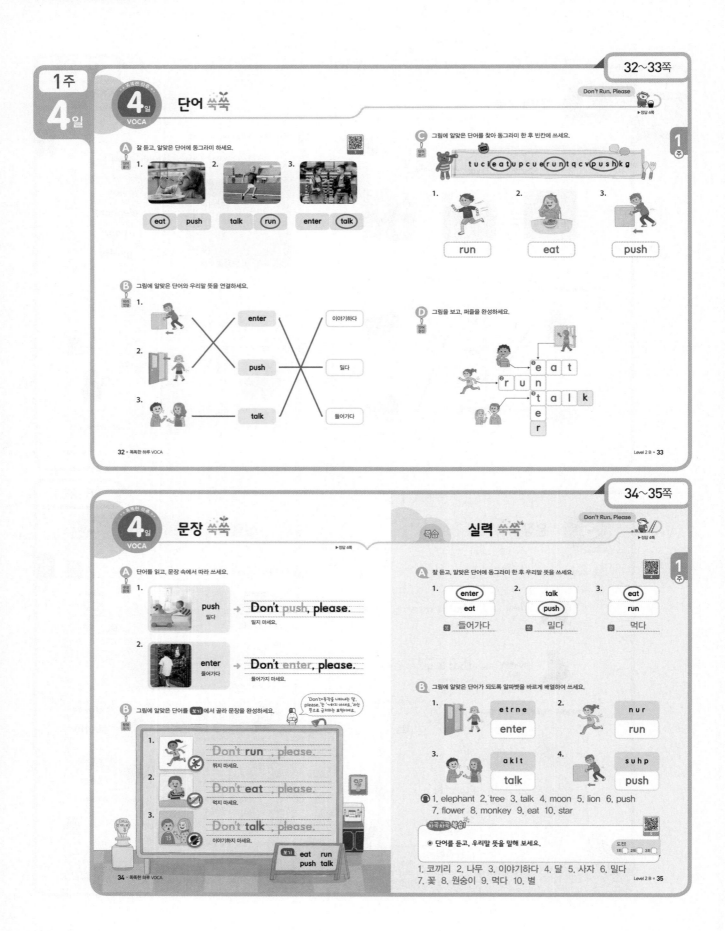

32~33쪽

1주
4일

4일 VOCA 단어 쑥쑥

Don't Run, Please
▶정답 4쪽

Ⓐ 잘 듣고, 알맞은 단어에 동그라미 하세요.

1. (eat) push
2. talk (run)
3. enter (talk)

Ⓑ 그림에 알맞은 단어와 우리말 뜻을 연결하세요.

1. enter — 이야기하다
2. push — 밀다
3. talk — 들어가다

Ⓒ 그림에 알맞은 단어를 찾아 동그라미 한 후 빈칸에 쓰세요.

t u c (e a t) u p c u (e r u n) t q c v (p u s h) k g

1. run
2. eat
3. push

Ⓓ 그림을 보고, 퍼즐을 완성하세요.

e a t
r u n
t a l k
t
e
r

32 • 똑똑한 하루 VOCA
Level 2 B • 33

34~35쪽

4일 VOCA 문장 쑥쑥
▶정답 4쪽

Ⓐ 단어를 읽고, 문장 속에서 따라 쓰세요.

1. push 밀다 → Don't push, please.
밀지 마세요.

2. enter 들어가다 → Don't enter, please.
들어가지 마세요.

Ⓑ 그림에 알맞은 단어를 보기 에서 골라 문장을 완성하세요.

'Don't+동작을 나타내는 말, please.'는 '~하지 마세요.'라는 뜻으로 금지하는 표현이에요.

1. Don't run , please.
뛰지 마세요.

2. Don't eat , please.
먹지 마세요.

3. Don't talk , please.
이야기하지 마세요.

보기 eat run push talk

34 • 똑똑한 하루 VOCA

복습 실력 쑥쑥

Don't Run, Please
▶정답 4쪽

1주

Ⓐ 잘 듣고, 알맞은 단어에 동그라미 한 후 우리말 뜻을 쓰세요.

1. (enter) / eat — 들어가다
2. talk / (push) — 밀다
3. (eat) / run — 먹다

Ⓑ 그림에 알맞은 단어가 되도록 알파벳을 바르게 배열하여 쓰세요.

1. etrne → enter
2. nur → run
3. aklt → talk
4. suhp → push

🔊 1. elephant 2. tree 3. talk 4. moon 5. lion 6. push
7. flower 8. monkey 9. eat 10. star

차곡차곡 복습

● 단어를 듣고, 우리말 뜻을 말해 보세요.

도전 1회 □ 2회 □ 3회 □

1. 코끼리 2. 나무 3. 이야기하다 4. 달 5. 사자 6. 밀다
7. 꽃 8. 원숭이 9. 먹다 10. 별

Level 2 B • 35

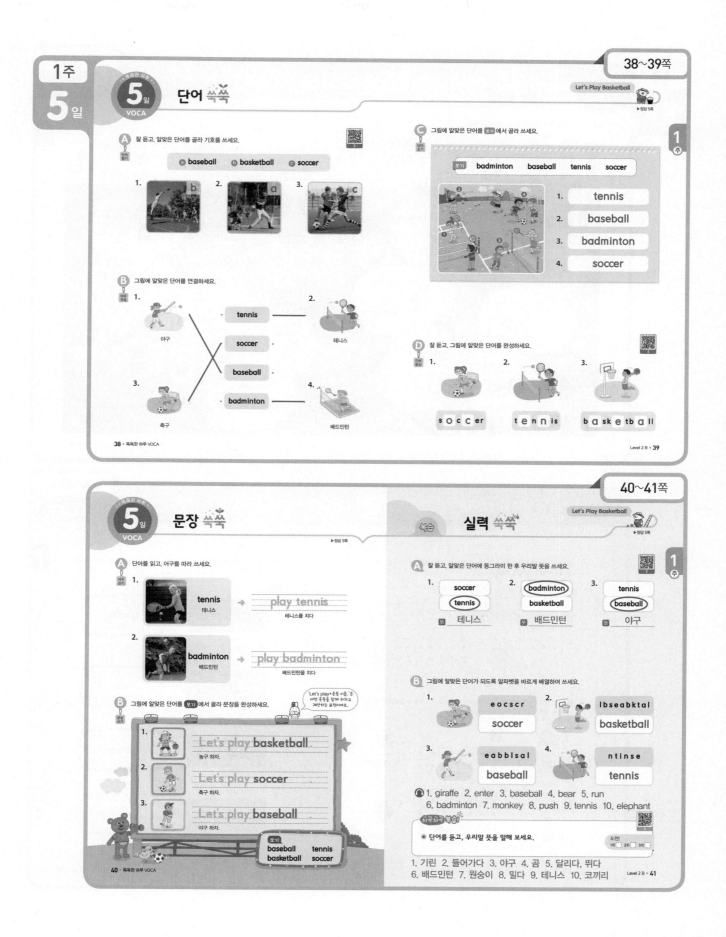

1주
특강

1주 특강 **Brain** Game Zone

배운 내용을 떠올리며 말판 놀이를 해 보세요.

Brain Game Zone

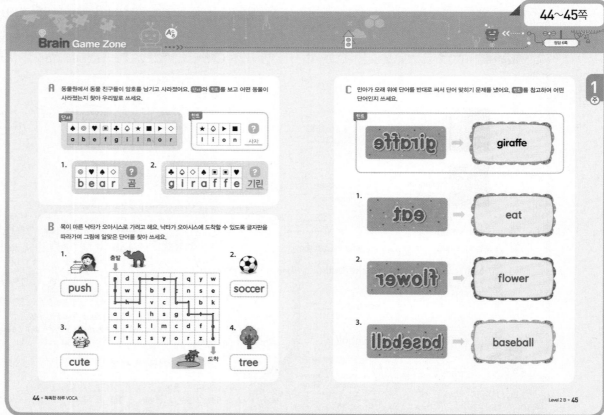

A 동물원에서 동물 친구들이 암호를 남기고 사라졌어요. 단서와 힌트를 보고 어떤 동물이 사라졌는지 찾아 우리말로 쓰세요.

C 민아가 모래 위에 단어를 반대로 써서 단어 맞히기 문제를 냈어요. 힌트를 참고하여 어떤 단어인지 쓰세요.

B 목이 마른 낙타가 오아시스로 가려고 해요. 낙타가 오아시스에 도착할 수 있도록 글자판을 따라가며 그림에 알맞은 단어를 찾아 쓰세요.

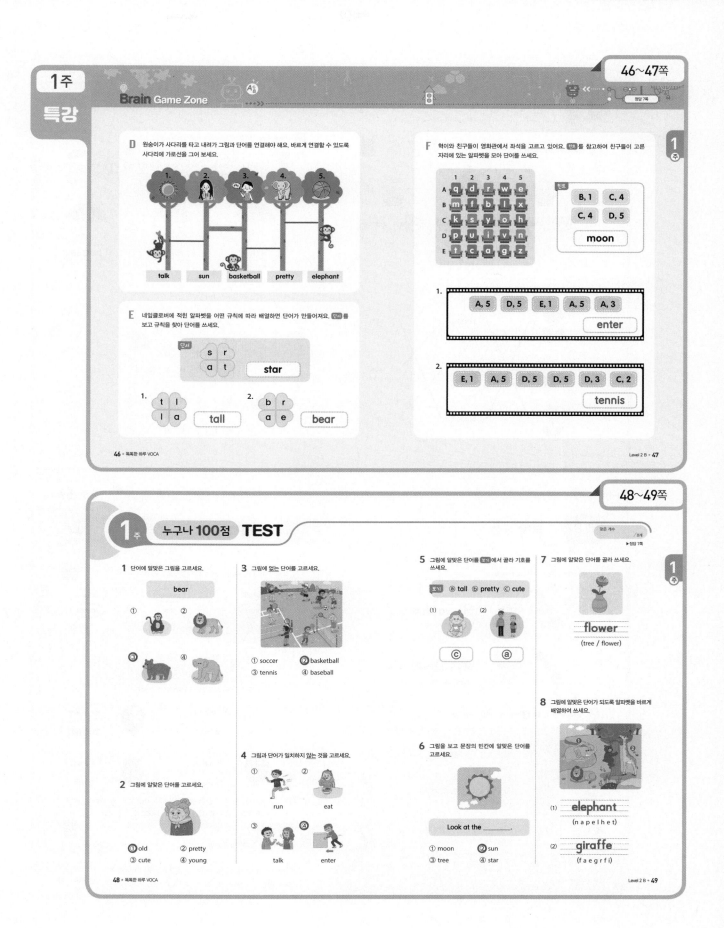

1주 특강

Brain Game Zone

D 원숭이가 사다리를 타고 내려가 그림과 단어를 연결해야 해요. 바르게 연결할 수 있도록 사다리에 가로선을 그어 보세요.

1. sun 2. pretty 3. talk 4. elephant 5. basketball

talk | sun | basketball | pretty | elephant

E 네잎클로버에 적힌 알파벳을 어떤 규칙에 따라 배열하면 단어가 만들어져요. 단서 를 보고 규칙을 찾아 단어를 쓰세요.

단서 s r a t → **star**

1. t l / l a → **tall**
2. b r / a e → **bear**

F 혁이와 친구들이 영화관에서 좌석을 고르고 있어요. 힌트 를 참고하여 친구들이 고른 자리에 있는 알파벳을 모아 단어를 쓰세요.

	1	2	3	4	5
A	q	d	r	w	e
B	m	f	b	l	x
C	k	s	y	o	h
D	p	u	i	v	n
E	t	c	a	g	z

힌트 B, 1　C, 4　C, 4　D, 5　**moon**

1. A, 5　D, 5　E, 1　A, 5　A, 3 → **enter**

2. E, 1　A, 5　D, 5　D, 5　D, 3　C, 2 → **tennis**

1주 누구나 100점 TEST

1 단어에 알맞은 그림을 고르세요.
bear
① ② ③ ④ → ③

2 그림에 알맞은 단어를 고르세요.
① old ② pretty ③ cute ④ young → ①

3 그림에 없는 단어를 고르세요.
① soccer ② basketball ③ tennis ④ baseball → ②

4 그림과 단어가 일치하지 않는 것을 고르세요.
① run ② eat ③ talk ④ enter → ④

5 그림에 알맞은 단어를 보기 에서 골라 기호를 쓰세요.
보기 ⓐ tall ⓑ pretty ⓒ cute
(1) ⓒ (2) ⓐ

6 그림을 보고 문장의 빈칸에 알맞은 단어를 고르세요.
Look at the _____.
① moon ② sun ③ tree ④ star → ②

7 그림에 알맞은 단어를 골라 쓰세요.
flower
(tree / flower)

8 그림에 알맞은 단어가 되도록 알파벳을 바르게 배열하여 쓰세요.
(1) **elephant** (n a p e l h e t)
(2) **giraffe** (f a e g r f i)

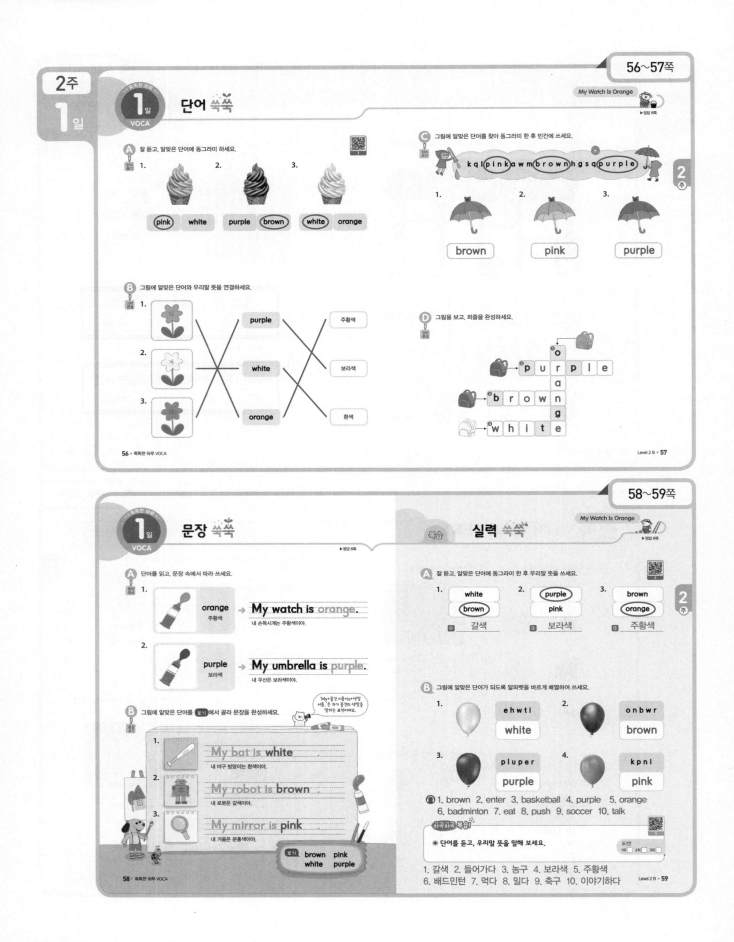

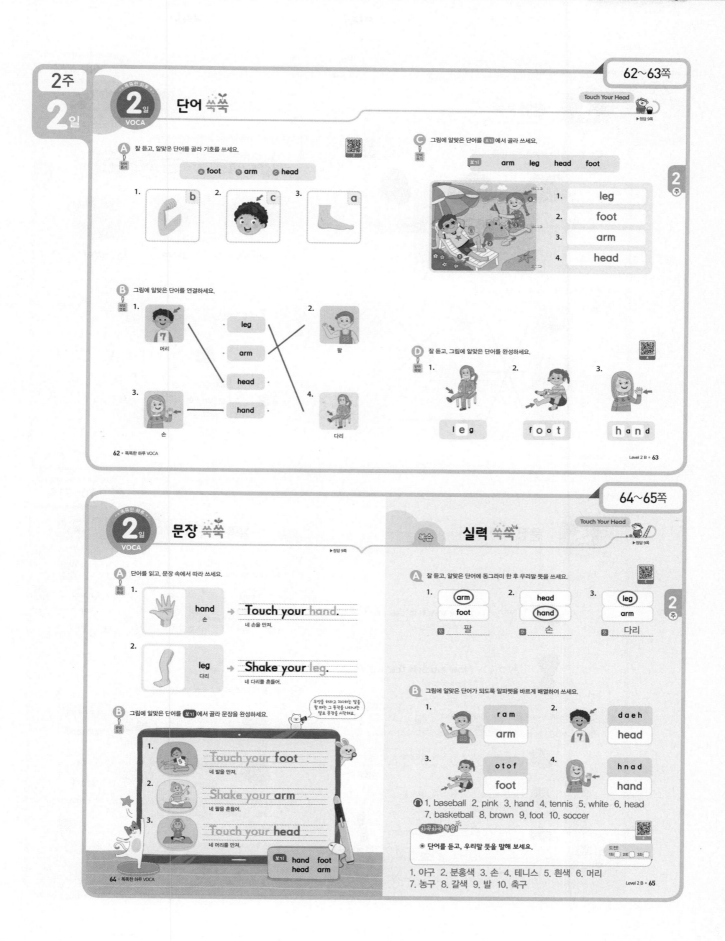

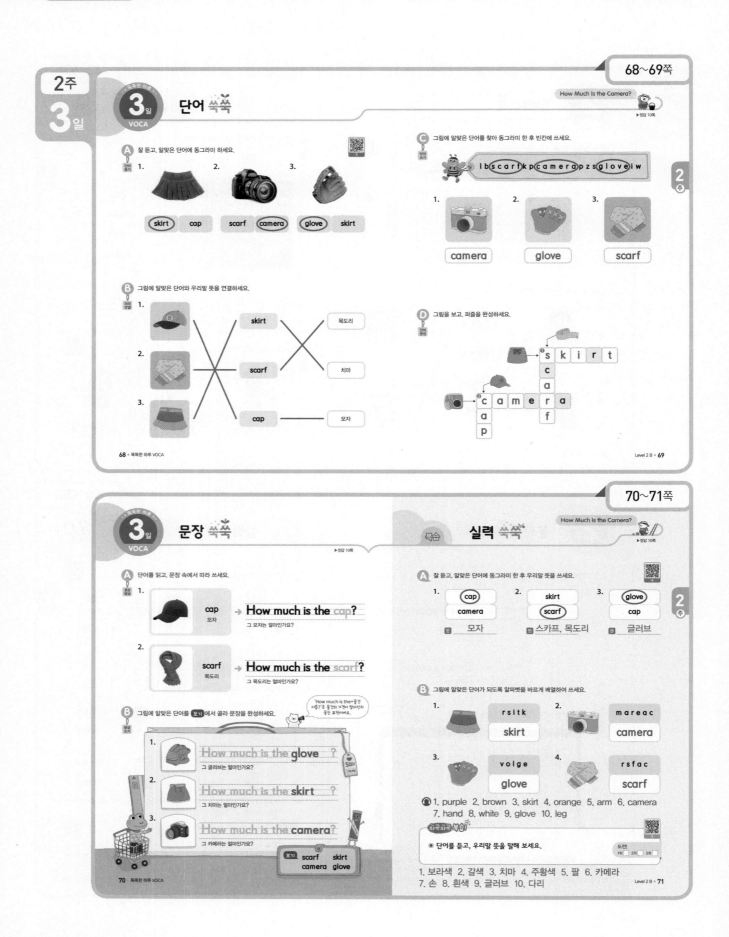

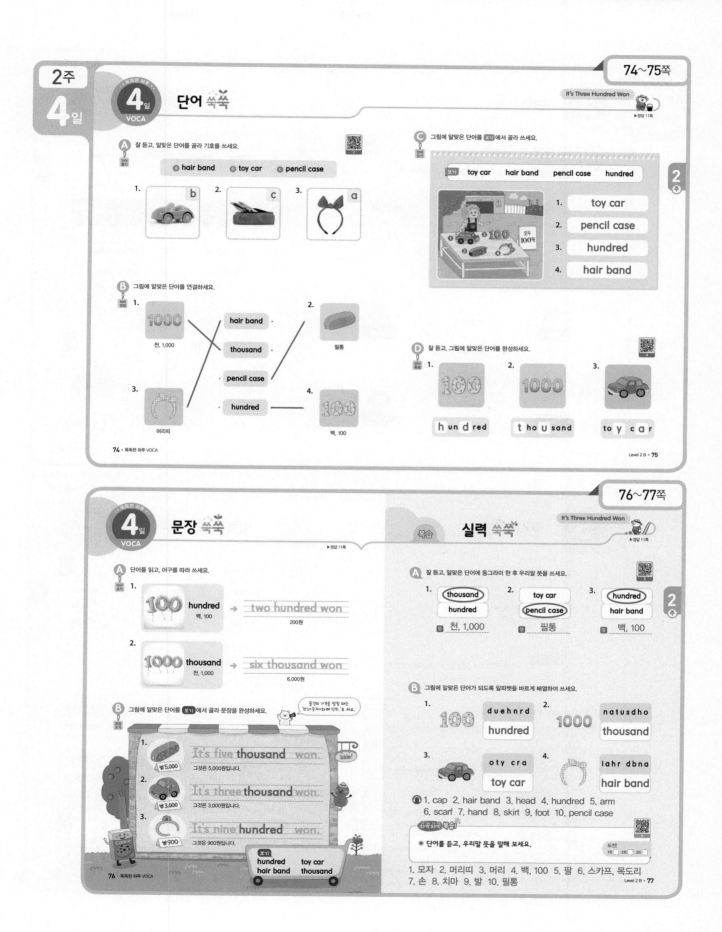

2주 4일 4일 VOCA 단어 쑥쑥

It's Three Hundred Won

▶정답 11쪽

A 잘 듣고, 알맞은 단어를 골라 기호를 쓰세요.

ⓐ hair band　ⓑ toy car　ⓒ pencil case

1. b　2. c　3. a

B 그림에 알맞은 단어를 연결하세요.

1. 천, 1,000 — thousand
2. 필통 — pencil case
hair band
3. 머리띠 — hair band
4. 백, 100 — hundred

C 그림에 알맞은 단어를 보기에서 골라 쓰세요.

보기　toy car　hair band　pencil case　hundred

1. toy car
2. pencil case
3. hundred
4. hair band

D 잘 듣고, 그림에 알맞은 단어를 완성하세요.

1. h u n d red
2. t h o u sand
3. to y c a r

74 · 똑똑한 하루 VOCA　　Level 2 B · 75

4일 VOCA 문장 쑥쑥

It's Three Hundred Won

▶정답 11쪽

A 단어를 읽고, 어구를 따라 쓰세요.

1. hundred 백, 100 → two hundred won
200원

2. thousand 천, 1,000 → six thousand won
6,000원

B 그림에 알맞은 단어를 보기에서 골라 문장을 완성하세요.

물건의 가격을 말할 때는 'It's+숫자+화폐 단위.'로 해요.

1. ₩5,000　It's five thousand won.
그것은 5,000원입니다.

2. ₩3,000　It's three thousand won.
그것은 3,000원입니다.

3. ₩900　It's nine hundred won.
그것은 900원입니다.

보기　hundred　toy car
hair band　thousand

76 · 똑똑한 하루 VOCA

복습 실력 쑥쑥

It's Three Hundred Won

▶정답 11쪽

A 잘 듣고, 알맞은 단어에 동그라미 한 후 우리말 뜻을 쓰세요.

1. thousand / hundred
뜻 천, 1,000

2. toy car / pencil case
뜻 필통

3. hundred / hair band
뜻 백, 100

B 그림에 알맞은 단어가 되도록 알파벳을 바르게 배열하여 쓰세요.

1. duehnrd → hundred
2. natusdho → thousand
3. oty cra → toy car
4. iahr dbna → hair band

1. cap　2. hair band　3. head　4. hundred　5. arm
6. scarf　7. hand　8. skirt　9. foot　10. pencil case

차곡차곡 복습

● 단어를 듣고, 우리말 뜻을 말해 보세요.

1. 모자　2. 머리띠　3. 머리　4. 백, 100　5. 팔　6. 스카프, 목도리
7. 손　8. 치마　9. 발　10. 필통

Level 2 B · 77

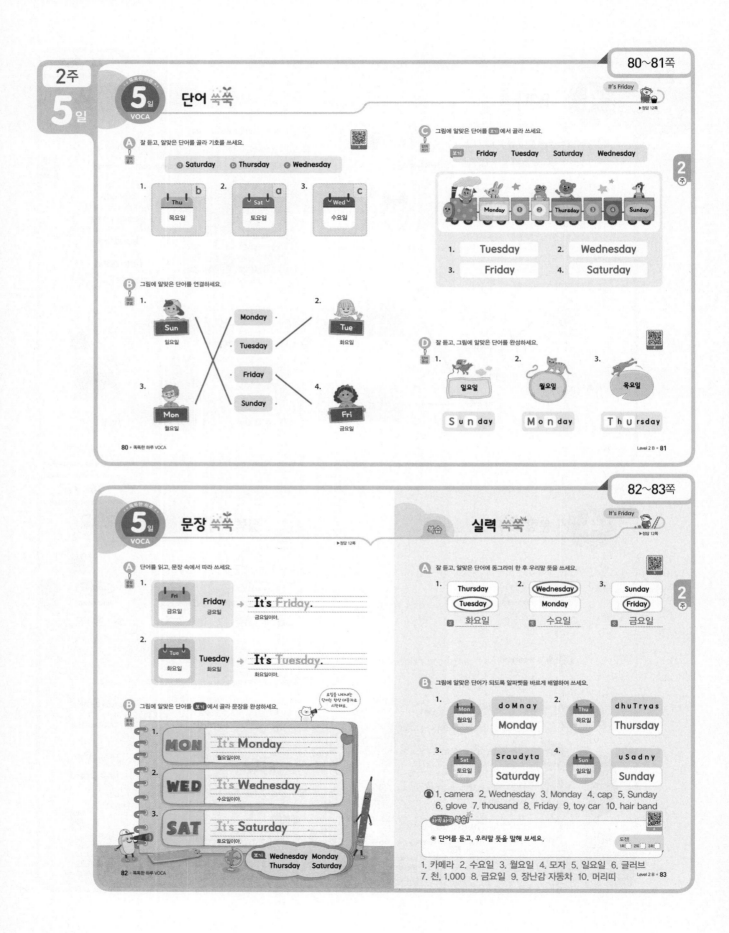

2주 5일

5일 VOCA 단어 쑥쑥

It's Friday
▶정답 12쪽

A 잘 듣고, 알맞은 단어를 골라 기호를 쓰세요.

ⓐ Saturday ⓑ Thursday ⓒ Wednesday

1. Thu b / 목요일
2. Sat a / 토요일
3. Wed c / 수요일

B 그림에 알맞은 단어를 연결하세요.

1. Sun 일요일 — Monday
2. Tue 화요일 — Tuesday
3. Mon 월요일 — Friday · Sunday
4. Fri 금요일

C 그림에 알맞은 단어를 보기에서 골라 쓰세요.

보기 Friday Tuesday Saturday Wednesday

Monday ① ② Thursday ③ ④ Sunday

1. Tuesday
2. Wednesday
3. Friday
4. Saturday

D 잘 듣고, 그림에 알맞은 단어를 완성하세요.

1. 일요일 — S u n day
2. 월요일 — M o n day
3. 목요일 — T h u rsday

80 · 똑똑한 하루 VOCA
Level 2 B · 81

5일 VOCA 문장 쑥쑥

▶정답 12쪽

A 단어를 읽고, 문장 속에서 따라 쓰세요.

1. Fri 금요일 Friday 금요일 → It's Friday. 금요일이야.
2. Tue 화요일 Tuesday 화요일 → It's Tuesday. 화요일이야.

B 그림에 알맞은 단어를 보기에서 골라 문장을 완성하세요.

요일을 나타내는 단어는 항상 대문자로 시작해요.

1. MON It's Monday 월요일이야.
2. WED It's Wednesday 수요일이야.
3. SAT It's Saturday 토요일이야.

보기 Wednesday Monday Thursday Saturday

82 · 똑똑한 하루 VOCA

복습 실력 쑥쑥

It's Friday
▶정답 12쪽

A 잘 듣고, 알맞은 단어에 동그라미 한 후 우리말 뜻을 쓰세요.

1. Thursday / (Tuesday) 뜻 화요일
2. (Wednesday) / Monday 뜻 수요일
3. Sunday / (Friday) 뜻 금요일

B 그림에 알맞은 단어가 되도록 알파벳을 바르게 배열하여 쓰세요.

1. Mon 월요일 doMnay → Monday
2. Thu 목요일 dhuTryas → Thursday
3. Sat 토요일 Sraudyta → Saturday
4. Sun 일요일 uSadny → Sunday

🔊 1. camera 2. Wednesday 3. Monday 4. cap 5. Sunday
6. glove 7. thousand 8. Friday 9. toy car 10. hair band

하루하루 복습

● 단어를 듣고, 우리말 뜻을 말해 보세요.

도전 1회 □ 2회 □ 3회 □

1. 카메라 2. 수요일 3. 월요일 4. 모자 5. 일요일 6. 글러브
7. 천, 1,000 8. 금요일 9. 장난감 자동차 10. 머리띠

Level 2 B · 83

2주 특강

2주 특강 Brain Game Zone

배운 내용을 떠올리며 말판 놀이를 해 보세요.

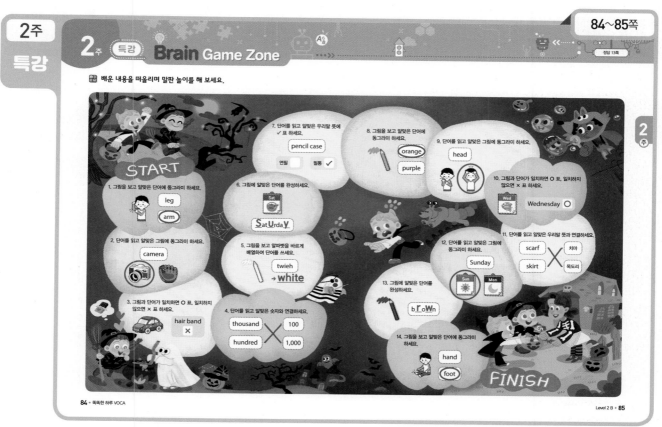

Brain Game Zone

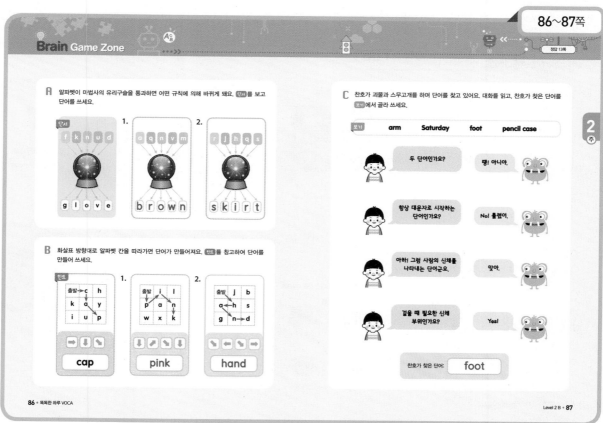

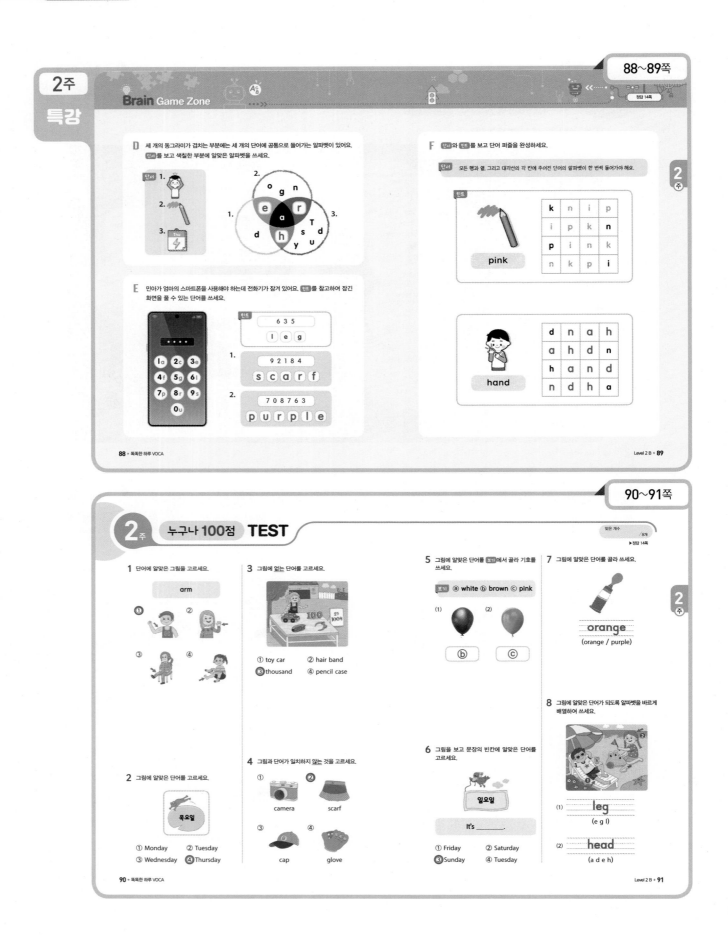

2주 특강

Brain Game Zone

정답 14쪽

D 세 개의 동그라미가 겹치는 부분에는 세 개의 단어에 공통으로 들어가는 알파벳이 있어요. 단서를 보고 색칠한 부분에 알맞은 알파벳을 쓰세요.

단서
1.
2.
3.

E 민아가 엄마의 스마트폰을 사용해야 하는데 전화기가 잠겨 있어요. 힌트를 참고하여 잠긴 화면을 풀 수 있는 단어를 쓰세요.

힌트
6 3 5
l e g

1. 9 2 1 8 4
s c a r f

2. 7 0 8 7 6 3
p u r p l e

F 단서와 힌트를 보고 단어 퍼즐을 완성하세요.

단서 모든 행과 열, 그리고 대각선의 각 칸에 주어진 단어의 알파벳이 한 번씩 들어가야 해요.

힌트

k	n	i	p
i	p	k	n
p	i	n	k
n	k	p	i

pink

d	n	a	h
a	h	d	n
h	a	n	d
n	d	h	a

hand

88 • 똑똑한 하루 VOCA
Level 2 B • 89

2주 누구나 100점 TEST

맞은 개수   /8개
▶정답 14쪽

1 단어에 알맞은 그림을 고르세요.

arm

① ② ③ ④

2 그림에 알맞은 단어를 고르세요.

목요일

① Monday   ② Tuesday
③ Wednesday ④ Thursday

3 그림에 없는 단어를 고르세요.

① toy car   ② hair band
❸ thousand   ④ pencil case

4 그림과 단어가 일치하지 않는 것을 고르세요.

① camera   ② scarf
③ cap   ④ glove

5 그림에 알맞은 단어를 보기에서 골라 기호를 쓰세요.

보기 ⓐ white ⓑ brown ⓒ pink

(1)   (2)

ⓑ   ⓒ

6 그림을 보고 문장의 빈칸에 알맞은 단어를 고르세요.

일요일

It's _____.

① Friday   ② Saturday
❸ Sunday   ④ Tuesday

7 그림에 알맞은 단어를 골라 쓰세요.

orange
(orange / purple)

8 그림에 알맞은 단어가 되도록 알파벳을 바르게 배열하여 쓰세요.

(1) leg
(e g l)

(2) head
(a d e h)

90 • 똑똑한 하루 VOCA
Level 2 B • 91

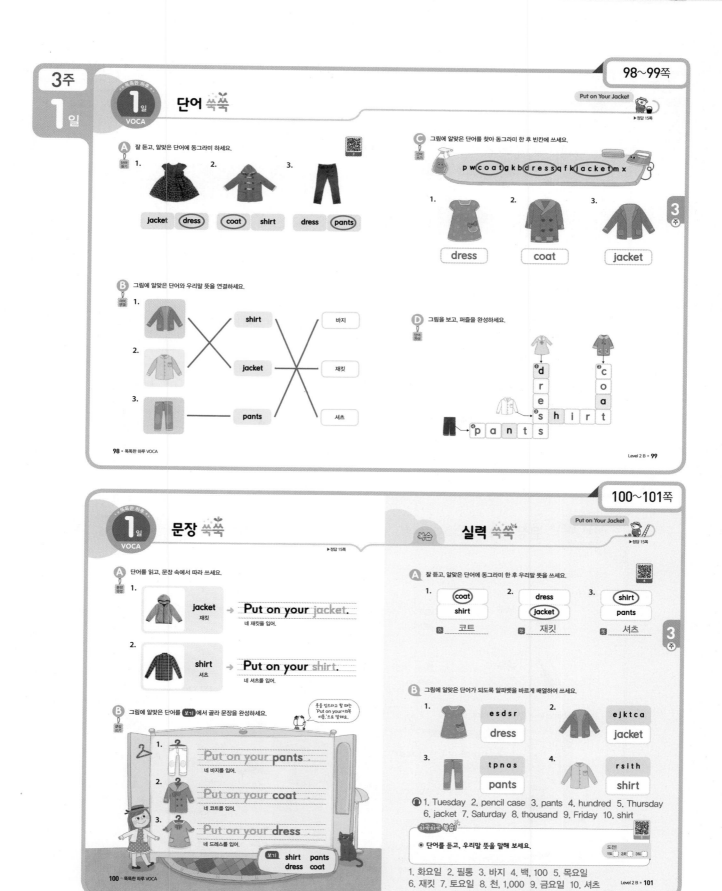

3주 1일

1일 VOCA 단어 쑥쑥

Put on Your Jacket
▶정답 15쪽

Ⓐ 잘 듣고, 알맞은 단어에 동그라미 하세요.

1. jacket (dress) 2. (coat) shirt 3. dress (pants)

Ⓒ 그림에 알맞은 단어를 찾아 동그라미 한 후 빈칸에 쓰세요.

p w (c o a t) g k b (d r e s s) q f k (j a c k e t) m x

1. dress 2. coat 3. jacket

Ⓑ 그림에 알맞은 단어와 우리말 뜻을 연결하세요.

1. shirt — 바지
2. jacket — 재킷
3. pants — 셔츠

Ⓓ 그림을 보고, 퍼즐을 완성하세요.

d r e s → s h i r t
c o a
p a n t s

98 • 똑똑한 하루 VOCA

Level 2 B • 99

1일 VOCA 문장 쑥쑥
▶정답 15쪽

Ⓐ 단어를 읽고, 문장 속에서 따라 쓰세요.

1. jacket 재킷 → Put on your jacket.
네 재킷을 입어.

2. shirt 셔츠 → Put on your shirt.
네 셔츠를 입어.

Ⓑ 그림에 알맞은 단어를 보기 에서 골라 문장을 완성하세요.

옷을 입으라고 할 때는 'Put on your+의 이름.'으로 말해요.

1. Put on your pants
네 바지를 입어.

2. Put on your coat
네 코트를 입어.

3. Put on your dress
네 드레스를 입어.

보기 shirt pants dress coat

100 • 똑똑한 하루 VOCA

복습 실력 쑥쑥

Put on Your Jacket
▶정답 15쪽

Ⓐ 잘 듣고, 알맞은 단어에 동그라미 한 후 우리말 뜻을 쓰세요.

1. (coat) shirt — 코트
2. dress (jacket) — 재킷
3. (shirt) pants — 셔츠

Ⓑ 그림에 알맞은 단어가 되도록 알파벳을 바르게 배열하여 쓰세요.

1. e s d s r → dress
2. e j k t c a → jacket
3. t p n a s → pants
4. r s i t h → shirt

1. Tuesday 2. pencil case 3. pants 4. hundred 5. Thursday
6. jacket 7. Saturday 8. thousand 9. Friday 10. shirt

차곡차곡 복습

◉ 단어를 듣고, 우리말 뜻을 말해 보세요.

1. 화요일 2. 필통 3. 바지 4. 백, 100 5. 목요일
6. 재킷 7. 토요일 8. 천, 1,000 9. 금요일 10. 셔츠

Level 2 B • 101

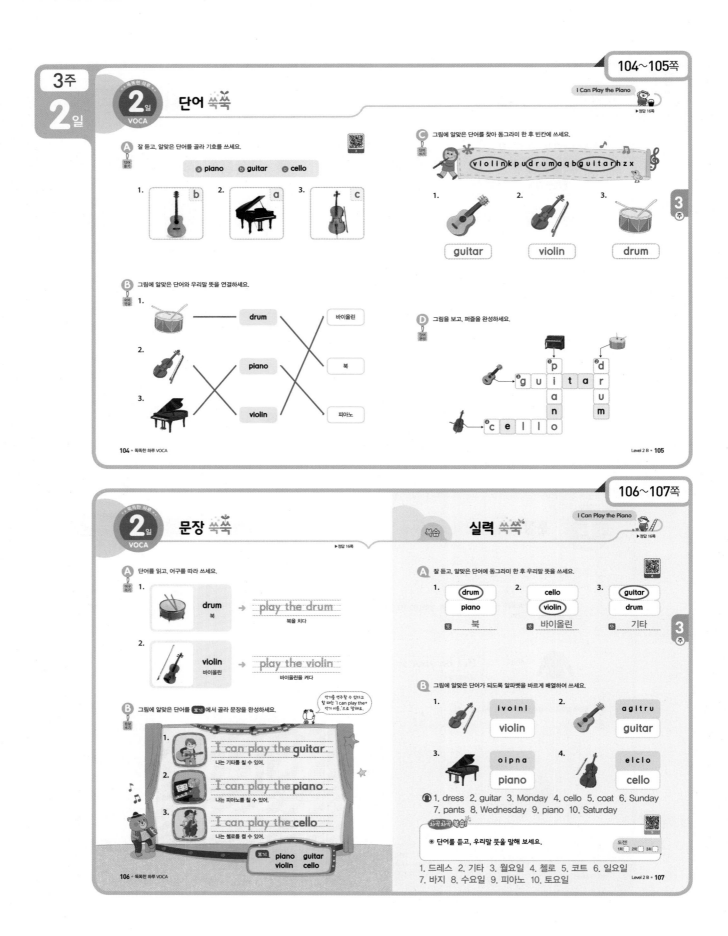

3주
2일

2일 VOCA 단어 쑥쑥

I Can Play the Piano
▶정답 16쪽

A 잘 듣고, 알맞은 단어를 골라 기호를 쓰세요.

ⓐ piano ⓑ guitar ⓒ cello

1. b   2. a   3. c

B 그림에 알맞은 단어와 우리말 뜻을 연결하세요.

1. drum — 바이올린
2. piano — 북
3. violin — 피아노

C 그림에 알맞은 단어를 찾아 동그라미 한 후 빈칸에 쓰세요.

v i o l i n k p u d r u m a q b g u i t a r h z x

1. guitar   2. violin   3. drum

D 그림을 보고, 퍼즐을 완성하세요.

g u i t a r
p a n
d r u m
c e l l o

104 • 똑똑한 하루 VOCA
Level 2 B • 105

2일 VOCA 문장 쑥쑥

▶정답 16쪽

복습 실력 쑥쑥

I Can Play the Piano
▶정답 16쪽

A 단어를 읽고, 어구를 따라 쓰세요.

1. drum 북 → play the drum
북을 치다

2. violin 바이올린 → play the violin
바이올린을 켜다

B 그림에 알맞은 단어를 보기 에서 골라 문장을 완성하세요.

악기를 연주할 수 있다고
말 때는 'I can play the+
악기 이름.'으로 말해요.

1. I can play the guitar.
나는 기타를 칠 수 있어.

2. I can play the piano.
나는 피아노를 칠 수 있어.

3. I can play the cello.
나는 첼로를 켤 수 있어.

보기 piano guitar violin cello

A 잘 듣고, 알맞은 단어에 동그라미 한 후 우리말 뜻을 쓰세요.

1. drum / piano 북
2. cello / violin 바이올린
3. guitar / drum 기타

B 그림에 알맞은 단어가 되도록 알파벳을 바르게 배열하여 쓰세요.

1. i v o l n i violin
2. a g i t r u guitar
3. o i p n a piano
4. e l c l o cello

🎧 1. dress 2. guitar 3. Monday 4. cello 5. coat 6. Sunday
7. pants 8. Wednesday 9. piano 10. Saturday

한곳차시 복습

◉ 단어를 듣고, 우리말 뜻을 말해 보세요.

도전
1회 2회 3회

1. 드레스 2. 기타 3. 월요일 4. 첼로 5. 코트 6. 일요일
7. 바지 8. 수요일 9. 피아노 10. 토요일

106 • 똑똑한 하루 VOCA
Level 2 B • 107

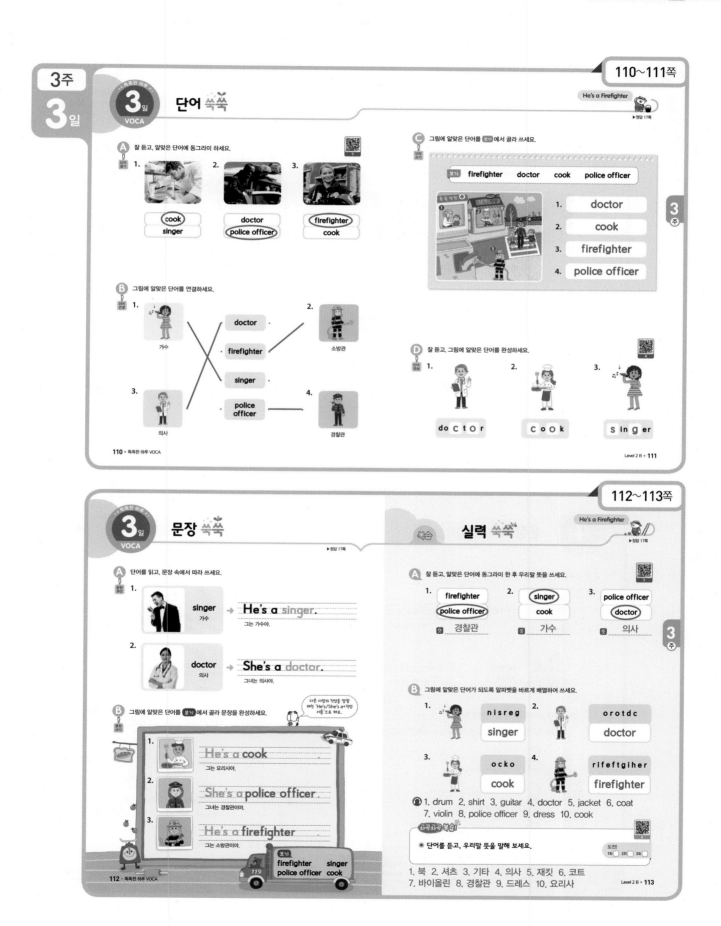

3주
3일

3일 VOCA 단어 쑥쑥

He's a Firefighter
▶정답 17쪽

Ⓐ 잘 듣고, 알맞은 단어에 동그라미 하세요.

1. ~~cook~~ **singer**

2. **doctor** ~~police officer~~

3. **firefighter** ~~cook~~

Ⓑ 그림에 알맞은 단어를 연결하세요.

1. 가수 — singer
2. 소방관 — firefighter
doctor
3. 의사 — doctor
police officer
4. 경찰관 — police officer

Ⓒ 그림에 알맞은 단어를 보기에서 골라 쓰세요.

보기 firefighter doctor cook police officer

1. doctor
2. cook
3. firefighter
4. police officer

Ⓓ 잘 듣고, 그림에 알맞은 단어를 완성하세요.

1. do**ct o r**
2. **c** oo **k**
3. s **ing** er

110 · 똑똑한 하루 VOCA

Level 2 B · 111

3일 VOCA 문장 쑥쑥

▶정답 17쪽

복습 실력 쑥쑥

He's a Firefighter
▶정답 17쪽

Ⓐ 단어를 읽고, 문장 속에서 따라 쓰세요.

1. singer 가수 → He's a singer.
그는 가수야.

2. doctor 의사 → She's a doctor.
그녀는 의사야.

Ⓑ 그림에 알맞은 단어를 보기에서 골라 문장을 완성하세요.

다른 사람의 직업을 말할 때는 'He's/She's a+직업 이름'으로 해요.

1. He's a cook
그는 요리사야.

2. She's a police officer.
그녀는 경찰관이야.

3. He's a firefighter
그는 소방관이야.

보기 firefighter singer police officer cook

112 · 똑똑한 하루 VOCA

Ⓐ 잘 듣고, 알맞은 단어에 동그라미 한 후 우리말 뜻을 쓰세요.

1. firefighter **police officer** 뜻 경찰관

2. **singer** cook 뜻 가수

3. police officer **doctor** 뜻 의사

Ⓑ 그림에 알맞은 단어가 되도록 알파벳을 바르게 배열하여 쓰세요.

1. nisreg → singer
2. orotdc → doctor
3. ocko → cook
4. rifeftgiher → firefighter

정답 1. drum 2. shirt 3. guitar 4. doctor 5. jacket 6. coat 7. violin 8. police officer 9. dress 10. cook

차곡차곡 복습

● 단어를 듣고, 우리말 뜻을 말해 보세요.

도전 1회 2회 3회

1. 북 2. 셔츠 3. 기타 4. 의사 5. 재킷 6. 코트 7. 바이올린 8. 경찰관 9. 드레스 10. 요리사

Level 2 B · 113

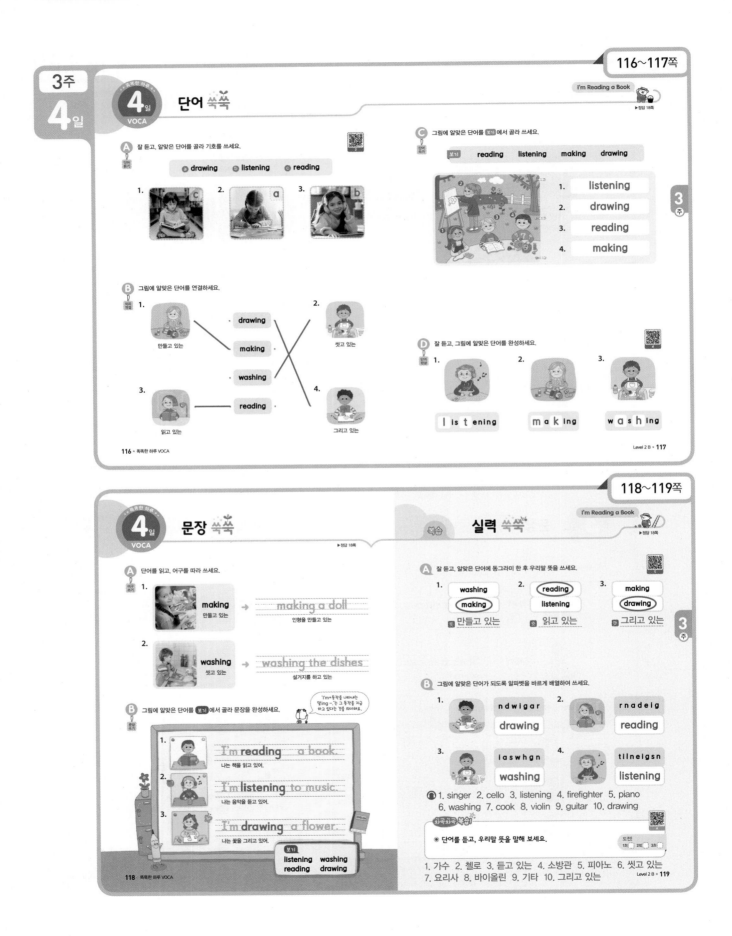

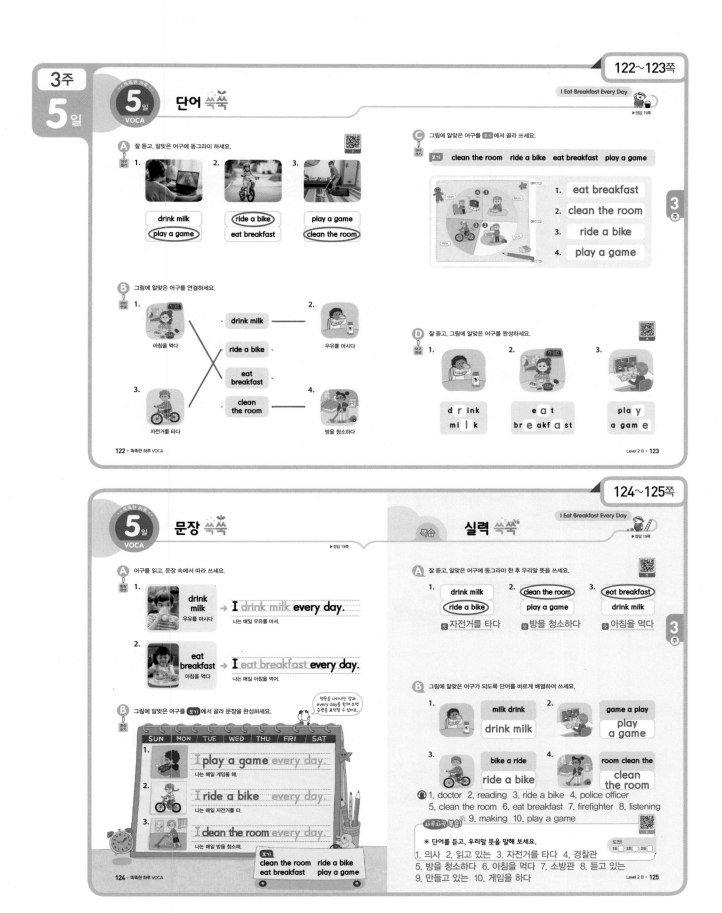

3주 **특강**

3주 특강 💡 **Brain** Game Zone

정답 20쪽

🏁 배운 내용을 떠올리며 말판 놀이를 해 보세요.

💡 **Brain** Game Zone

정답 20쪽

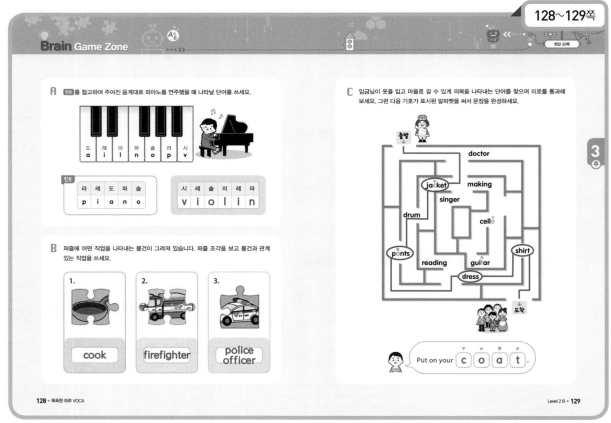

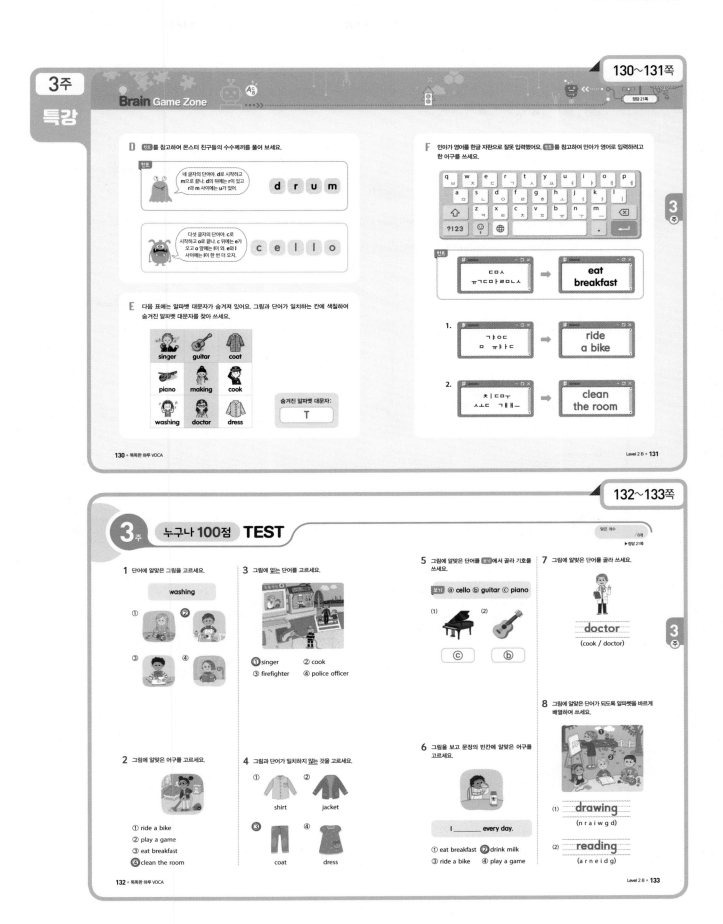

3주 특강

Brain Game Zone

정답 21쪽

D 힌트를 참고하여 몬스터 친구들의 수수께끼를 풀어 보세요.

힌트
네 글자의 단어야. d로 시작하고 m으로 끝나. d의 뒤에는 r이 있고 r과 m 사이에는 u가 있어.

d r u m

다섯 글자의 단어야. c로 시작하고 o로 끝나. c 뒤에는 e가 오고 o 앞에는 l이 와. e와 l 사이에는 l이 한 번 더 오지.

c e l l o

E 다음 표에는 알파벳 대문자가 숨겨져 있어요. 그림과 단어가 일치하는 칸에 색칠하여 숨겨진 알파벳 대문자를 찾아 쓰세요.

singer	guitar	coat
piano	making	cook
washing	doctor	dress

숨겨진 알파벳 대문자:

T

F 민아가 영어를 한글 자판으로 잘못 입력했어요. 힌트를 참고하여 민아가 영어로 입력하려고 한 어구를 쓰세요.

ㄷㅁㅅ
ㅠㄱㄷㅁㄹㅁㅅㅅ → eat breakfast

1. ㄱㅑㅇㄷ
ㅁ ㅉㅏㅏㄷ → ride a bike

2. ㅊㅣㄷㅁㅜ
ㅅㅗㄷ ㄱㅐㅐㅡ → clean the room

3주 누구나 100점 TEST

맞은 개수 /8개
▶정답 21쪽

1 단어에 알맞은 그림을 고르세요.

washing

① ② ③ ④

2 그림에 알맞은 어구를 고르세요.

① ride a bike
② play a game
③ eat breakfast
④ clean the room

3 그림에 없는 단어를 고르세요.

① singer ② cook
③ firefighter ④ police officer

4 그림과 단어가 일치하지 않는 것을 고르세요.

① shirt ② jacket
③ coat ④ dress

5 그림에 알맞은 단어를 보기 에서 골라 기호를 쓰세요.

보기 ⓐ cello ⓑ guitar ⓒ piano

(1) ⓒ (2) ⓑ

6 그림을 보고 문장의 빈칸에 알맞은 어구를 고르세요

I _____ every day.

① eat breakfast ② drink milk
③ ride a bike ④ play a game

7 그림에 알맞은 단어를 골라 쓰세요.

doctor
(cook / doctor)

8 그림에 알맞은 단어가 되도록 알파벳을 바르게 배열하여 쓰세요.

(1) drawing
(n r a i w g d)

(2) reading
(a r n e i d g)

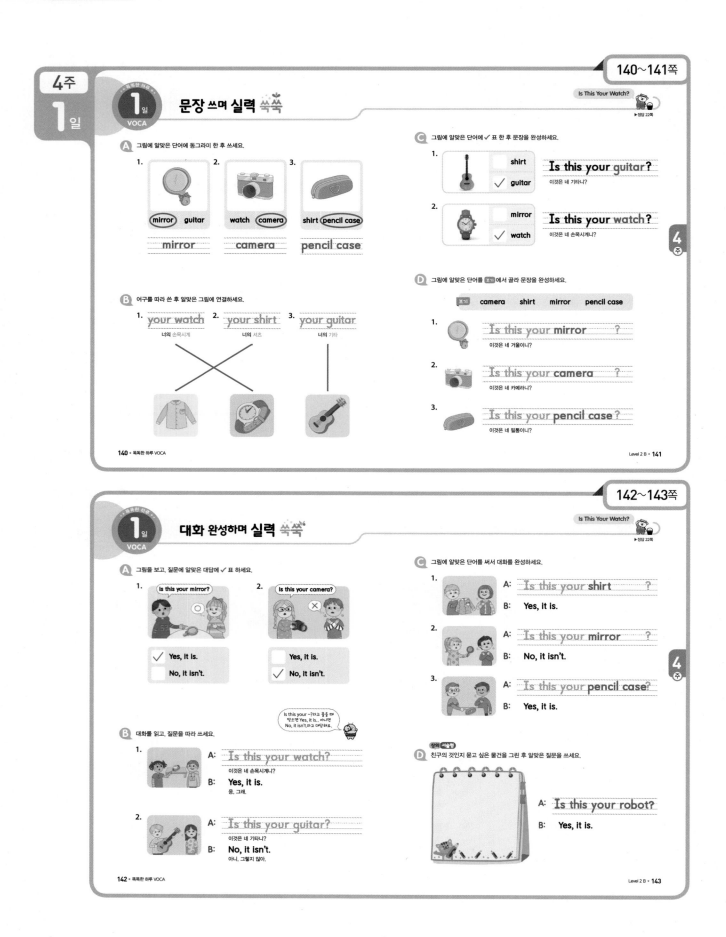

4주 2일 VOCA 문장 쓰며 실력 쑥쑥

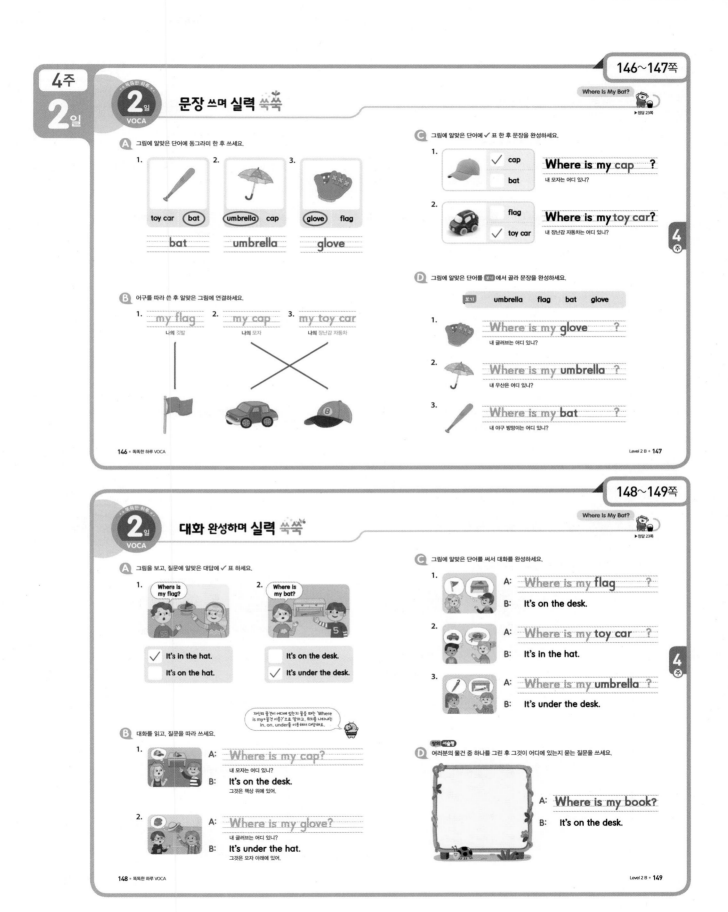

A 그림에 알맞은 단어에 동그라미 한 후 쓰세요.

1. toy car (bat) → bat
2. (umbrella) cap → umbrella
3. (glove) flag → glove

B 어구를 따라 쓴 후 알맞은 그림에 연결하세요.

1. my flag 나의 깃발
2. my cap 나의 모자
3. my toy car 나의 장난감 자동차

C 그림에 알맞은 단어에 ✓ 표 한 후 문장을 완성하세요.

1. ✓ cap / bat
Where is my cap ?
내 모자는 어디 있니?

2. flag / ✓ toy car
Where is my toy car?
내 장난감 자동차는 어디 있니?

D 그림에 알맞은 단어를 보기 에서 골라 문장을 완성하세요.

보기 umbrella   flag   bat   glove

1. **Where is my glove** ?
내 글러브는 어디 있니?

2. **Where is my umbrella** ?
내 우산은 어디 있니?

3. **Where is my bat** ?
내 야구 방망이는 어디 있니?

146 • 똑똑한 하루 VOCA

Level 2 B • 147

2일 VOCA 대화 완성하며 실력 쑥쑥

A 그림을 보고, 질문에 알맞은 대답에 ✓ 표 하세요.

1. Where is my flag?
✓ It's in the hat.
☐ It's on the hat.

2. Where is my bat?
☐ It's on the desk.
✓ It's under the desk.

B 대화를 읽고, 질문을 따라 쓰세요.

자신의 물건이 어디에 있는지 물을 때는 'Where is my+물건 이름?'으로 말하고, 위치를 나타내는 in, on, under을 이용해서 대답해요.

1. A: Where is my cap?
내 모자는 어디 있니?
B: It's on the desk.
그것은 책상 위에 있어.

2. A: Where is my glove?
내 글러브는 어디 있니?
B: It's under the hat.
그것은 모자 아래에 있어.

C 그림에 알맞은 단어를 써서 대화를 완성하세요.

1. A: Where is my flag ?
B: It's on the desk.

2. A: Where is my toy car ?
B: It's in the hat.

3. A: Where is my umbrella ?
B: It's under the desk.

D 여러분의 물건 중 하나를 그린 후 그것이 어디에 있는지 묻는 질문을 쓰세요.

A: Where is my book?
B: It's on the desk.

148 • 똑똑한 하루 VOCA

Level 2 B • 149

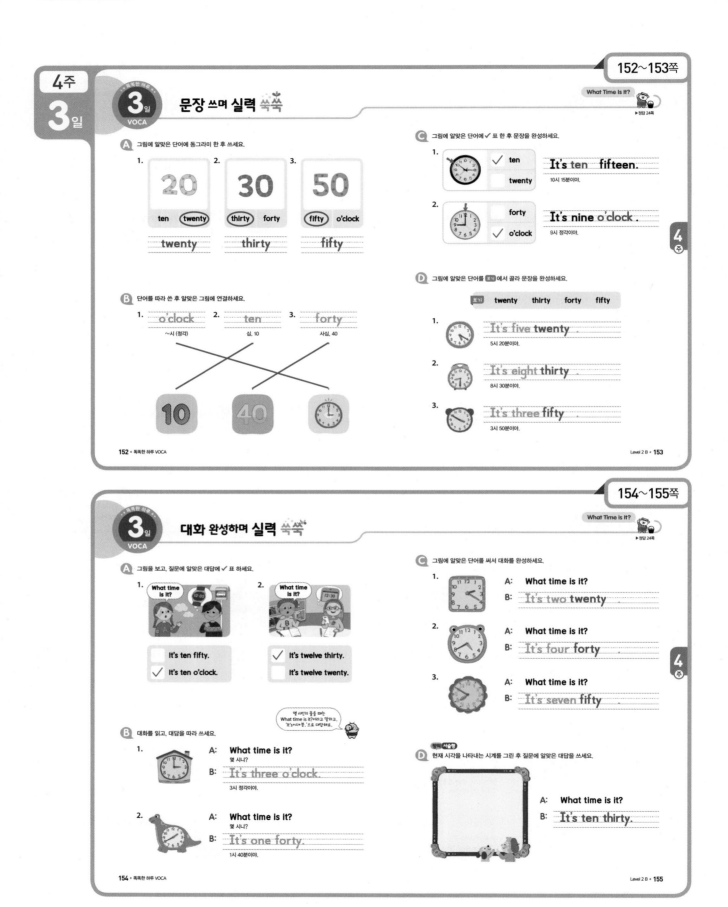

4주 3일

3일 VOCA 문장 쓰며 실력 쑥쑥

What Time Is It?
▶정답 24쪽

A 그림에 알맞은 단어에 동그라미 한 후 쓰세요.

1. 20 / ten (twenty) → twenty
2. 30 / (thirty) forty → thirty
3. 50 / (fifty) o'clock → fifty

B 단어를 따라 쓴 후 알맞은 그림에 연결하세요.

1. o'clock ~시 (정각)
2. ten 십, 10
3. forty 사십, 40

10 / 40 / 🕐

C 그림에 알맞은 단어에 ✓ 표 한 후 문장을 완성하세요.

1. ✓ ten / twenty → It's ten fifteen. 10시 15분이야.
2. forty / ✓ o'clock → It's nine o'clock. 9시 정각이야.

D 그림에 알맞은 단어를 보기 에서 골라 문장을 완성하세요.

보기 twenty thirty forty fifty

1. It's five twenty. 5시 20분이야.
2. It's eight thirty. 8시 30분이야.
3. It's three fifty. 3시 50분이야.

152 · 똑똑한 하루 VOCA
Level 2 B · 153

3일 VOCA 대화 완성하며 실력 쑥쑥

What Time Is It?
▶정답 24쪽

A 그림을 보고, 질문에 알맞은 대답에 ✓ 표 하세요.

1. What time is it?
   It's ten fifty. / ✓ It's ten o'clock.
2. What time is it?
   ✓ It's twelve thirty. / It's twelve twenty.

B 대화를 읽고, 대답을 따라 쓰세요.

몇 시인지 물을 때는
What time is it?라고 말하고,
'It's+시각.'으로 대답해요.

1. A: What time is it? 몇 시니?
   B: It's three o'clock. 3시 정각이야.
2. A: What time is it? 몇 시니?
   B: It's one forty. 1시 40분이야.

C 그림에 알맞은 단어를 써서 대화를 완성하세요.

1. A: What time is it?
   B: It's two twenty
2. A: What time is it?
   B: It's four forty
3. A: What time is it?
   B: It's seven fifty

D 현재 시각을 나타내는 시계를 그린 후 질문에 알맞은 대답을 쓰세요. 창의·서술형

A: What time is it?
B: It's ten thirty.

154 · 똑똑한 하루 VOCA
Level 2 B · 155

4주
4일

4일 VOCA 문장 쓰며 실력 쑥쑥

How Much Is the Apple Pie?
▶정답 25쪽

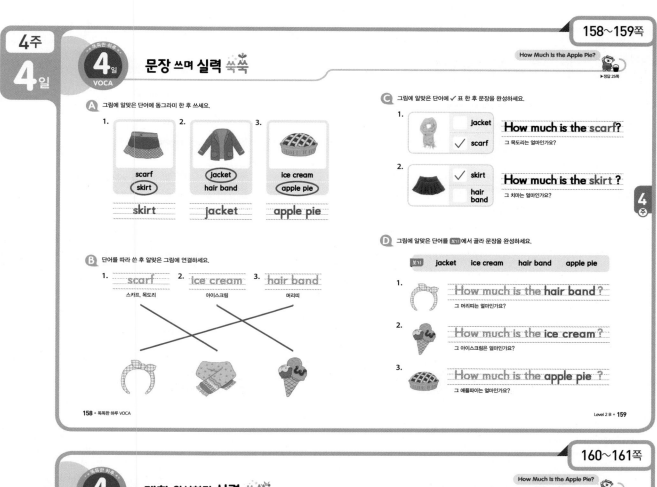

A 그림에 알맞은 단어에 동그라미 한 후 쓰세요.

1. scarf / ⟨skirt⟩ → skirt
2. ⟨jacket⟩ / hair band → jacket
3. ice cream / ⟨apple pie⟩ → apple pie

B 단어를 따라 쓴 후 알맞은 그림에 연결하세요.

1. scarf 스카프, 목도리
2. ice cream 아이스크림
3. hair band 머리띠

C 그림에 알맞은 단어에 ✓ 표 한 후 문장을 완성하세요.

1. jacket / ✓ scarf — How much is the scarf? 그 목도리는 얼마인가요?
2. ✓ skirt / hair band — How much is the skirt ? 그 치마는 얼마인가요?

D 그림에 알맞은 단어를 보기에서 골라 문장을 완성하세요.

보기 jacket   ice cream   hair band   apple pie

1. How much is the hair band ? 그 머리띠는 얼마인가요?
2. How much is the ice cream ? 그 아이스크림은 얼마인가요?
3. How much is the apple pie ? 그 애플파이는 얼마인가요?

158 • 똑똑한 하루 VOCA
Level 2 B • 159

4일 VOCA 대화 완성하며 실력 쑥쑥

How Much Is the Apple Pie?
▶정답 25쪽

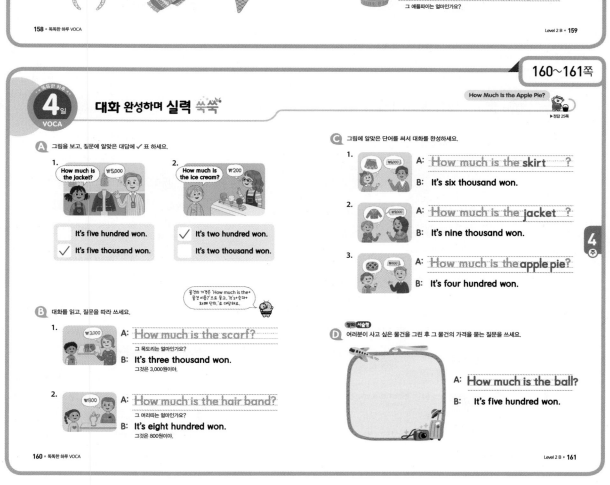

A 그림을 보고, 질문에 알맞은 대답에 ✓ 표 하세요.

1. How much is the jacket? ₩5,000
   ☐ It's five hundred won.
   ✓ It's five thousand won.

2. How much is the ice cream? ₩200
   ✓ It's two hundred won.
   ☐ It's two thousand won.

물건의 가격은 'How much is the+ 물건 이름?'으로 묻고, 'It's+숫자+ 화폐 단위.'로 대답해요.

B 대화를 읽고, 질문을 따라 쓰세요.

1. ₩3,000
   A: How much is the scarf? 그 목도리는 얼마인가요?
   B: It's three thousand won. 그것은 3,000원이야.

2. ₩800
   A: How much is the hair band? 그 머리띠는 얼마인가요?
   B: It's eight hundred won. 그것은 800원이야.

C 그림에 알맞은 단어를 써서 대화를 완성하세요.

1. ₩6000
   A: How much is the skirt ?
   B: It's six thousand won.

2. ₩9000
   A: How much is the jacket ?
   B: It's nine thousand won.

3. ₩400
   A: How much is the apple pie?
   B: It's four thousand won.

창의 서술형
D 여러분이 사고 싶은 물건을 그린 후 그 물건의 가격을 묻는 질문을 쓰세요.

A: How much is the ball?
B: It's five hundred won.

160 • 똑똑한 하루 VOCA
Level 2 B • 161

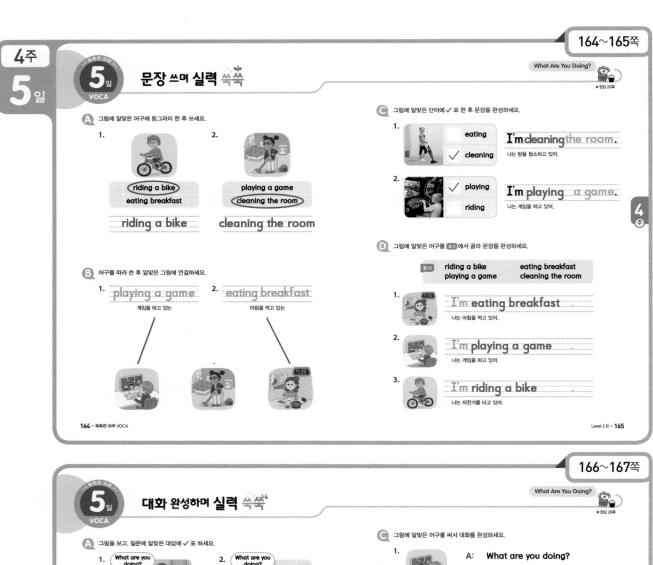

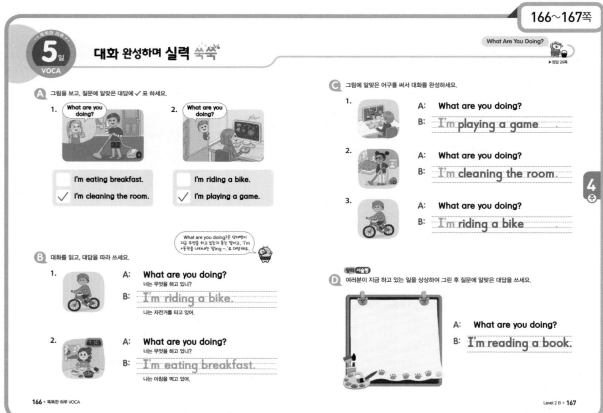

4주 특강

4주 특강 Brain Game Zone

배운 내용을 떠올리며 말판 놀이를 해 보세요.

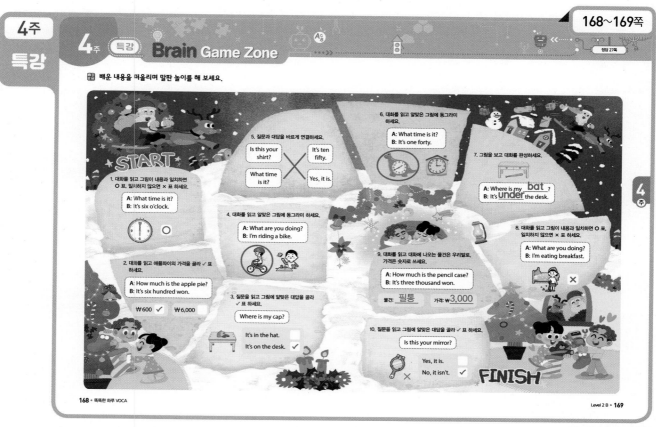

Brain Game Zone

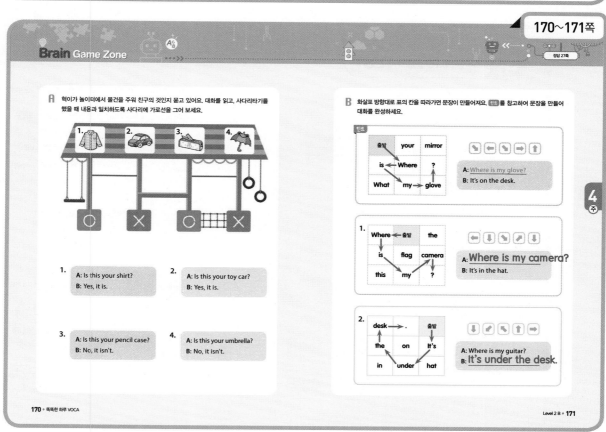

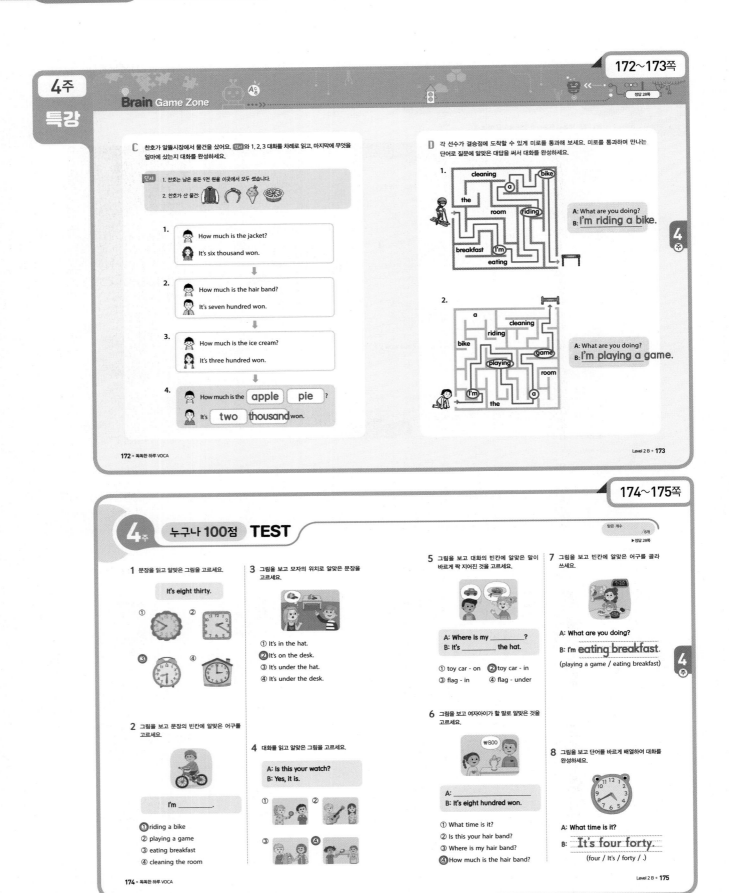

4주
특강

Brain Game Zone

정답 28쪽

C 찬호가 알뜰시장에서 물건을 샀어요. [단서]와 1, 2, 3 대화를 차례로 읽고, 마지막에 무엇을 얼마에 샀는지 대화를 완성하세요.

단서 1. 찬호는 남은 용돈 9천 원을 이곳에서 모두 썼습니다.
2. 찬호가 산 물건:

1. How much is the jacket?
It's six thousand won.

2. How much is the hair band?
It's seven hundred won.

3. How much is the ice cream?
It's three hundred won.

4. How much is the apple pie ?
It's two thousand won.

D 각 선수가 결승점에 도착할 수 있게 미로를 통과해 보세요. 미로를 통과하며 만나는 단어로 질문에 알맞은 대답을 써서 대화를 완성하세요.

1.
A: What are you doing?
B: I'm riding a bike.

2.
A: What are you doing?
B: I'm playing a game.

4주

172 • 똑똑한 하루 VOCA

Level 2 B • 173

4주 누구나 100점 TEST

맞은 개수 /8개
▶정답 28쪽

1 문장을 읽고 알맞은 그림을 고르세요.

It's eight thirty.

① ② ③ ④

2 그림을 보고 문장의 빈칸에 알맞은 어구를 고르세요.

I'm _____ .

① riding a bike
② playing a game
③ eating breakfast
④ cleaning the room

3 그림을 보고 모자의 위치로 알맞은 문장을 고르세요.

① It's in the hat.
② It's on the desk.
③ It's under the hat.
④ It's under the desk.

4 대화를 읽고 알맞은 그림을 고르세요.

A: Is this your watch?
B: Yes, it is.

① ② ③ ④

5 그림을 보고 대화의 빈칸에 알맞은 말이 바르게 짝 지어진 것을 고르세요.

A: Where is my _____?
B: It's _____ the hat.

① toy car - on
② toy car - in
③ flag - in
④ flag - under

6 그림을 보고 여자아이가 할 말로 알맞은 것을 고르세요.

₩800

A: _____
B: It's eight hundred won.

① What time is it?
② Is this your hair band?
③ Where is my hair band?
④ How much is the hair band?

7 그림을 보고 빈칸에 알맞은 어구를 골라 쓰세요.

A: What are you doing?
B: I'm eating breakfast.
(playing a game / eating breakfast)

8 그림을 보고 단어를 바르게 배열하여 대화를 완성하세요.

A: What time is it?
B: It's four forty.
(four / It's / forty / .)

4주

174 • 똑똑한 하루 VOCA

Level 2 B • 175

매일 조금씩 **공부력** UP

똑똑한 하루
독해&어휘

쉽다!

10분이면 하루 치 공부를 마칠 수 있는
커리큘럼으로, 아이들이 쉽고 재미있게
독해&어휘에 접근할 수 있도록 구성

재미있다!

교과서는 물론 생활 속에서 쉽게
접할 수 있는 다양한 소재를 활용해
흥미로운 학습 유도

똑똑하다!

초등학생에게 꼭 필요한 상식과 함께
창의적 사고력 확장을 돕는
게임 형식의 구성으로 독해력&어휘력 학습

공부의 핵심은 독해!
예비초~초6 / 총 6단계, 12권

독해의 시작은 어휘!
예비초~초6 / 총 6단계, 6권

정답은
이안에
있어!

기초 학습능력 강화 프로그램
매일 조금씩 공부력 UP!

하루 독해 　　　 하루 어휘

하루 VOCA

하루 수학 　　　 하루 계산 　　　 하루 도형

과목	교재 구성	과목	교재 구성
하루 수학	1~6학년 1·2학기 12권	하루 사고력	1~6학년 A·B단계 12권
하루 VOCA	3~6학년 A·B단계 8권	하루 글쓰기	1~6학년 A·B단계 12권
하루 사회	3~6학년 1·2학기 8권	하루 한자	1~6학년 A·B단계 12권
하루 과학	3~6학년 1·2학기 8권	하루 어휘	예비초~6학년 1~6단계 6권
하루 도형	1~6단계 6권	하루 독해	예비초~6학년 A·B단계 12권
하루 계산	1~6학년 A·B단계 12권		

※ 각 교재별 출간 시기는 조금씩 다릅니다.

배움으로 행복한 내일을 꿈꾸는
천재교육 커뮤니티 안내

교재 안내부터 구매까지 한 번에!
천재교육 홈페이지

천재교육 홈페이지에서는 자사가 발행하는 참고서,
교과서에 대한 소개는 물론 도서 구매도 할 수 있습니다.
회원에게 지급되는 별을 모아 다양한 상품 응모에도
도전해 보세요.

구독, 좋아요는 필수! 핵유용 정보 가득한
천재교육 유튜브 <천재TV>

신간에 대한 자세한 정보가 궁금하세요?
참고서를 어떻게 활용해야 할지 고민인가요?
공부 외 다양한 고민을 해결해 줄 채널이 필요한가요?
학생들에게 꼭 필요한 콘텐츠로 가득한 천재TV로 놀러 오세요!

다양한 교육 꿀팁에 깜짝 이벤트는 덤!
천재교육 인스타그램

천재교육의 새롭고 중요한 소식을 가장 먼저 접하고 싶다면?
천재교육 인스타그램 팔로우가 필수!
누구보다 빠르고 재미있게 천재교육의 소식을 전달합니다.
깜짝 이벤트도 수시로 진행되니 놓치지 마세요!